통증의학 전문의의 노하우

통증의 한약치료

기타큐슈종합병원 마취과부장
다케다 다카오 지음
조명래·김용세 옮김

군자출판사

통증의 한약치료

첫째판 1쇄 인쇄 | 2018년 7월 11일
첫째판 1쇄 발행 | 2018년 7월 20일

지 은 이 다케다 다카오
역 자 조명래, 김용세
발 행 인 장주연
출판기획 김도성
편 집 배혜주
편집디자인 서영국
표지디자인 김재욱
발 행 처 군자출판사
등록 제 4-139호 (1991. 6. 24)
본사 (10881) **파주출판단지** 경기도 파주시 회동길 338(서패동 474-1)
전화 (031) 943-1888 팩스 (031) 955-9545
홈페이지 | www.koonja.co.kr

* 파본은 교환하여 드립니다.
* 검인은 저자와의 합의 하에 생략합니다.

ISBN 979-11-5955-333-2
정가 25,000원

추천사

이 책의 발간을 축하합니다. 2015년 일본통증클리닉학회 제49회 대회에서 다케다 선생의 강연을 좌장으로 들을 기회를 얻었는데, 말씀하신 내용이 책으로 나오기를 바라던 한 사람이기도 합니다. 로키무코는 록소닌®과 무코스타®라는 가장 일반적인 진통제 처방의 예로, 서양의학적인 진통제로부터 벗어나 한약처방으로 옮겨갈 것을 권하는 내용입니다. 저에게는 바로 눈이 번쩍 뜨이게 하는 말씀으로 매우 흥미롭게 들었습니다.

저 자신이 한약 처방을 권유하는 말을 많이 해왔고, 또 다른 선생님들의 말씀도 들었지만, 다케다 선생의 말씀은 새로운 경험이었습니다. 내용이 초심자도 이해할 수 있고, 다케다 선생께서는 "서양의학과 동양의학의 이도류二刀流가 되셔야…"라며 마음에 편안하게 다가오는 내용을 말씀하셨습니다.

어려운 한방 책은 많습니다만, 우선 이 책을 펼쳐 보세요. 구체적인 증례와 더불어 쉽게 쓰여져 읽는 속도가 빨라지는 것을 느낄 수 있을겁니다. "기혈수氣血水"나 "오장五臟", 또 "사진四診" 등 들어도 멀리하고 싶은 내용이 어느새 머리에 들어오는 내용이 되어 있습니다. 한방이라는 것을 찾아냄으로써 통증 진료의 폭을 넓힐 수 있기를 진심으로 바랍니다.

2016년 5월

쇼와대학 요코하마시 호쿠부병원

세라다 가즈유키 世良田和幸

시작하면서

안녕하세요? 다케다 다카오라고 합니다. 기관내삽관보다 한방 강연이 익숙한 마취과의사입니다.

이 책은 "한방을 배우려고 해도 책이 너무 어려워서…"라고 평소 생각하시는 선생님께, 제가 평소 진행하는 강연회를 라이브로 듣고 있다는 기분이 들게끔, 웃는 사이 자연스럽게 한방 지식이 몸에 배는 것을 목적으로 한 책입니다.

통증 치료라면 록소닌®+무코스타® 일변도인 선생님을 환자 상태를 보다 깊이 파고들어 생각하는 한방의 세계에 빠져들게 하여, 서양의학과 동양의학의 이도류二刀流가 되게끔 진료의 폭을 넓혀 드리자는 생각입니다.

이 책은 제가 태어나서 처음으로 쓴 책입니다. 한방 세계, 통증 클리닉 업계의 마타요시 나오키*가 되는 것을 목표로 노력하겠습니다.

그럼 이제 한방강연을 시작합니다~.

* 마타요시 나오키(又吉直樹, 1980~): 일본의 코미디언이자 소설가

옮긴이의 말

현대 한의학의 치료 영역이 나날이 넓어지고 있는 지금도 통증 치료가 차지하는 비중이 상당히 큽니다. 대중에게 널리 알려진 침과 뜸, 부항 이외 봉·약침, 매선, 추나 등 통증 치료 방법이 다양해져도, 원인과 증상에 맞는 한약이 내는 시너지 효과는 결코 무시할 수 없습니다.

오랜 기간 통증 진료에 매진하면서 중국이나 일본의 접근 방법에도 관심을 가지게 되었습니다. 그러던 차에 일본의 마취과 의사인 다케다 교수의 책을 접하였는데, 통증을 이해하는 방식이 신선하고 명료하였습니다. 이에 기존의 경험과 비교해보는 차원에서 번역을 결심하였고, 이렇게 출판까지 이어졌습니다.

책에 소개된 처방의 상당수가 건강보험약 혜택을 받을 수 있고, 과립제 형태로 국내에 수입 유통되고 있는 약들도 있습니다. 게다가 한의사는 탕전 처방도 가능하기에 응용의 범위도 충분히 넓힐 수 있으리라 생각합니다.

마지막으로 영화 <박열> 촬영으로 바쁜 가운데에서도 번역에 어려움을 느낀 구어와 신조어 표현에 대해 상세하게 설명을 해주신 영화배우 야마노우치 타스쿠 씨에게 특히 감사드립니다.

2018년 초여름

조명래 · 김용세

contents

contents

chapter.3 柴胡劑 = 인간 관계 조정제

chapter.4 외래, 병동, 수술실에서도 한약을 잘 쓰고 있습니다

reference

참고 이 책에서 한약 · 생약을 색으로 구분해서 기재하였습니다.
- 차가운 환자를 따뜻하게 하는 방제와 생약을 파란색
- 뜨거운 환자를 차갑게 하는 방제와 생약을 오렌지색
- 뜨겁지도 차갑지도 않은 방제와 생약을 회색으로 표시하였습니다.

일러두기

1. 각주는 모두 역자주입니다.

2. 서양의학 병명은 『한국표준질병 · 사인분류』(통계청, 2011)를 최우선으로 하고, 기타 사전류의 용어를 반영하였습니다.

3. 지명, 인명, 서명 이외 일본식 한자 표기는 우리식으로 바꾸었습니다.
   ex) 乾姜→乾薑, 当帰→當歸

4. 일본어 한글 표기는 국립국어원 규정을 따릅니다. 단, "ツムラ(津村)"와 "クラシエ"는 국내에서 "쯔무라"와 "크라시에" 브랜드를 사용하기에 그 표기를 따릅니다.

5. 중국 인명과 서명은 한자어 발음 그대로 표기하였습니다.
   ex) 장중경張仲景, 『금궤요략金匱要略』

6. 한자나 영어 병기는 최소화하였으며, 검색 편의를 위해 색인에는 병기하였습니다.

chapter. 1

한방 공부의 포인트

"寒熱"

1. 서양의학과 동양의학

이상 하나 하나를 보는가, 전체를 보는가

서양의학은 환자의 이상을 세밀하게 분석하고 병명의 수만큼, 이상 부위의 수만큼 치료약이 중복됩니다. 많은 질병이 있는 고령자는 복용약만으로 배가 불러버리는 사태가 발생합니다. 그것에 대해서 동양의학은 환자 전반을 살펴서 정상상태(중용中庸)로부터 차이(증證)를 진단하고 한약을 기본 한 가지, 많아도 두 가지로 치료할 수 있습니다.

예를 들어 백내장에 전립선비대증과 골다공증을 가지고 있는 환자에게 서양의학은

▷ 백내장에 점안약(카다린®: 피레녹신)

+

▷ 전립선비대증에 배뇨 장애 개선약(하루날®: 탐스로신)

+

▷ 골다공증에 비타민D_3 제제(알파롤®: 알파칼시돌)

서양의학의 진단과 치료

① **이상부위의 특정과 분석**
환자 정보를 부품(장기, 세포, 유전자)으로 나눈다.

② **진단은 "병명"으로 표현한다.**
증상이나 검사 결과에 맞춰 병명이 복수가 된다.

③ **이상 부위를 개별 치료한다.**
여러 가지 증상에 대하여 여러 약을 중복한다.

예) 고령자의 백내장, 전립선비대증, 골다공증
양약으로는 카다린 + 하루날 + 알파롤을 처방합니다.

동양의학의 진단과 치료

① 환자 정보를 동양의학 개념으로 분류하여 **환자 본래의 상태(중용)로부터 차이와 변화(증)를** 진단한다.

증을 표현하기 위한 동양의학의 개념
팔강 · 기혈수 · 육병위 · 오장
八綱 · 氣血水 · 六病位 · 五臟

② 증을 기초로 **환자의 차이를 원래 상태로 되돌린다.**
벡터(방의方意)를 가진 한약(방제方劑)을 선택한다.

예) 고령자의 백내장, 전립선비대증, 골다공증→**신허**腎虛
한약은 **보신제: 팔미지황환**으로 신허를 통째로 커버합니다.

위와 같이 처방하고, 동양의학에서는 ▷고령 ▷백내장 ▷전립선비대증 ▷골다공증을 한꺼번에 "신허腎虛"라는 증으로 진단합니다.

콩팥腎은 서양의학에서 노폐물을 소변으로 배출하면서 적혈구 형성인자Erythropoietin를 만드는 장기지만, 동양의학은 더 넓은 개념으로 콩팥을 인식합니다. 우리는 부모로부터 생명 에너지를 받아서 태어날 수 있었으나, 이 생명 에너지를 저장하는 탱크가 콩팥이라 생각합니다. 동양의학은 고령자는 생명 에너지가 부족(=신허)하다고 생각하여 생명 에너지를 보강하는 한약(=보신제補腎劑)을 투여하였습니다. 대표적인 보신제가 팔미지황환입니다.

팔미지황환을 투여하면 이 환자는 점안약, 배뇨 개선약과 비타민D_3 제제가 필요하지 않은 정도는 아니더라도, 양약과 한약을 함께 사용하는 환자는 삶의 질(QOL)이 향상됩니다. 경우에 따라 양약을 하나 둘 줄일 수 있을지도 모릅니다.

국제적으로 일본 의사만 의사면허 하나로 양약, 한약, 침구 진료가 가능합니다. 일본 의사에게 통증 치료뿐만 아니라, 나날이 진료의 폭을 넓히기 위해서 동양의학을 익히는 가치는 매우 큽니다.

병명과 증

한 명의 환자를 진찰할 때, 서양의학과 동양의학은 다른 관점에서 접근합니다. 진단명을 서양의학은 병명이라고 하고, 동양의학은 증證이라고 합니다. 단순히 "통증에 효과있는 한약은 무엇이 있습니까?"라고 묻고 있는 한 아무것도 시작할 수 없습니다. 이른바

병명과 증은 별개

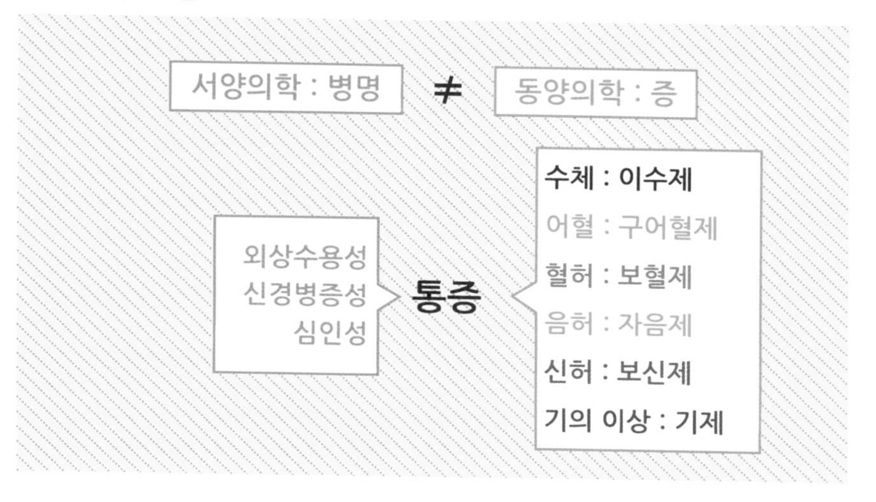

서양의학의 소프트(병명)와 동양의학의 소프트(증)

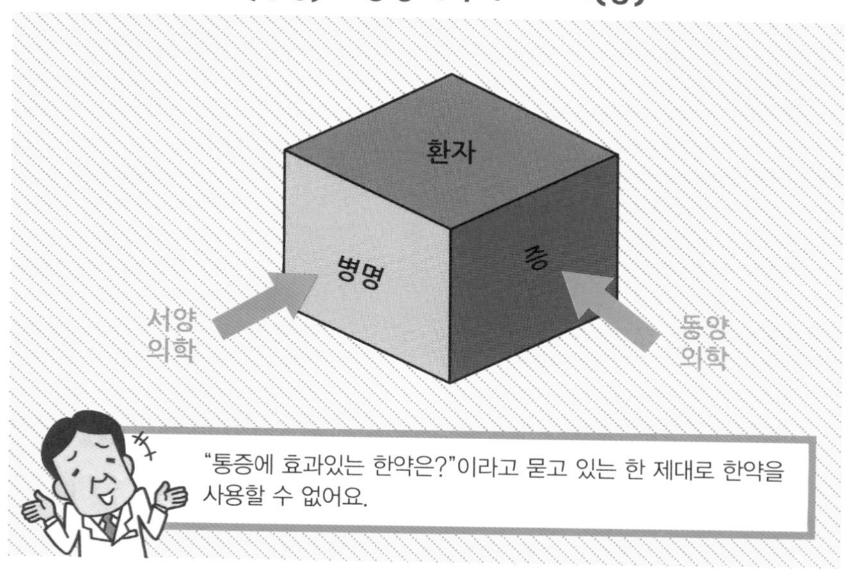

'한방진통제'라는 것은 존재하지 않습니다. 통증의 원인에 따라 동양의학적인 이상(증)을 진단해가면서 원인별로 치료를 진행할 필요가 있습니다.

서양의학에서

> ▷ 외상수용성 통증^Nociceptive pain^에 NSAIDs(비스테로이드 항염증제)나 아세트아미노펜(암이 원인인 심한 통증에는 오피오이드)
> ▷ 신경병증성 통증^Neuropathic pain^에 프레가발린이나 오피오이드
> ▷ 심인성 통증^Psychogenic pain^에 항우울제

통증의 원인별로 치료약이 있는 것과 마찬가지로 동약의학은

> ▷ 수체^水滯^가 원인이 되는 통증에는 이수제^利水劑^
> ▷ 어혈^瘀血^이 원인이 되는 통증에는 구어혈제^驅瘀血劑^
> ▷ 혈허^血虛^가 원인이 되는 통증에는 보혈제^補血劑^
> ▷ 음허^陰虛^가 원인이 되는 통증에는 자음제^滋陰劑^
> ▷ 신허^腎虛^가 원인이 되는 통증에는 보신제^補腎劑^
> ▷ 기^氣^의 이상이 원인이 되는 통증에는 기제^氣劑^

위와 같이 증에 맞는 방제를 사용합니다.

이 책은 이제부터 여러 가지 치료법을 소개합니다.

2. 따뜻하게 하고 싶은지, 차갑게 하고 싶은지

한방진료는 한열寒熱을 나누는 것에서 시작하여, 한열을 나누는 것이 다라고 해도 좋을 정도입니다.

서양의학 진료는 시각통증척도VAS, Visual Analogue Scale 등의 통증 세기를 측정하는 기준이 있으나, 한열이라는 개념이 없습니다. 서양의학의 병명에 한열 개념을 더해서 한방진료를 시작합니다.

한방 공부의 포인트 두 가지

1. 증證의 진단법(첫 단계 = 한열寒熱)

2. 한약의 성격(방의方意)

① 본래 바람직한 자세(중용)로부터 어떤 방향으로 차이가 있는지(뜨거워지는지 차가워지는지)를 살핀다.
② 이런 차이로부터 중용에 더 다가가는 방의를 지닌 약을 선택한다.

이것만 알면 어렵지 않아요.

통증과 한열의 벡터

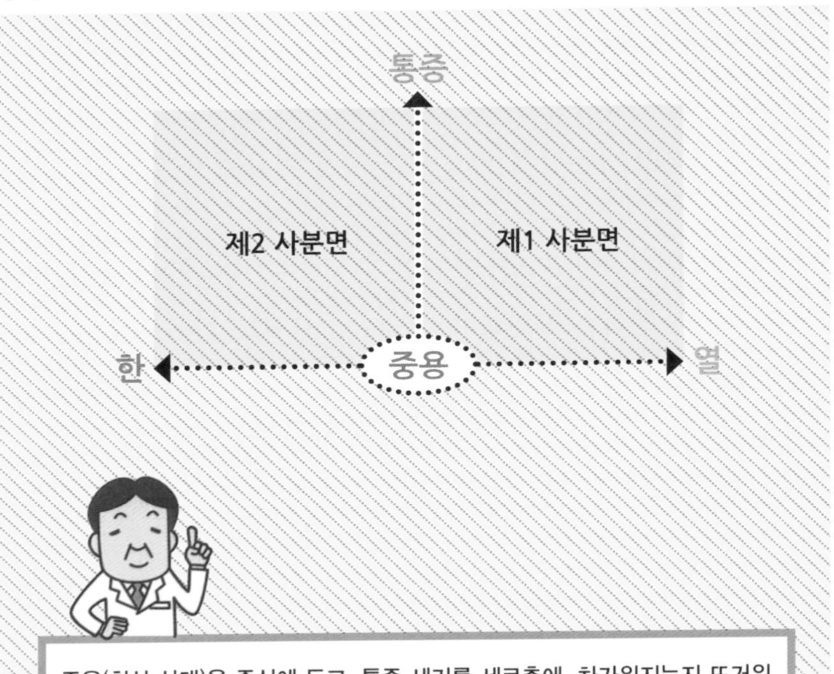

중용(최상 상태)을 중심에 두고, 통증 세기를 세로축에, 차가워지는지 뜨거워지는지를 가로축으로 둔 그림입니다.

중용으로부터 오른쪽의 제1 사분면에 있는지, 왼쪽의 제2 사분면에 있는지에 따라 치료가 달라집니다.

중용中庸이라는 최상 상태를 중심에 두고, 세로축에 통증 세기를, 가로축에 한열을 배치하여 도식화한 것이 위 그림입니다.

무릎 퇴행성 관절염이라는 병명이 붙은 환자를 예로 들어서 말해보겠습니다. 서양의학 병명이 동일한 '무릎 퇴행성 관절염'이라도 급성기에는 무릎 관절이 붓고 열이 나는 경우도 있고, 만성기에 들어서면 관절 변형이 진행하면서 차갑고 아픈 경우도 있습니다. 환자가 중용으로부터 오른쪽 제1 사분면에 있느냐, 또는 중용으로부터 왼쪽 제2 사분면에 있느냐에 따라 치료법이 정반대가 됩니다.

볼타렌®(디클로페낙)이나 록소닌®(록소프로펜) 등의 NSAIDs가 염증의 열을 식히는 약입니다. NSAIDs는 제1 사분면에 있는 급성기에 열을 띄는 상태의 환자에게 효과가 있지만, 양약으로는 제2 사분면의 만성기에 차가운 상태의 환자 몸을 점점 식히기 때문에 중용에서 멀어지게 됩니다. 오히려 상부 소화관 궤양이나 출혈 등의 부작용이 발생합니다.

양약은 제2 사분면의 냉기에 따른 통증을 개선하는 방의(=벡터)를 지닌 약이 전혀 없다고 봐야 하고, 한약에는 몸을 따뜻하게 하는 부자나 건강이 들어간 방제가 많이 있습니다.

급성통증(열을 띄는 통증)

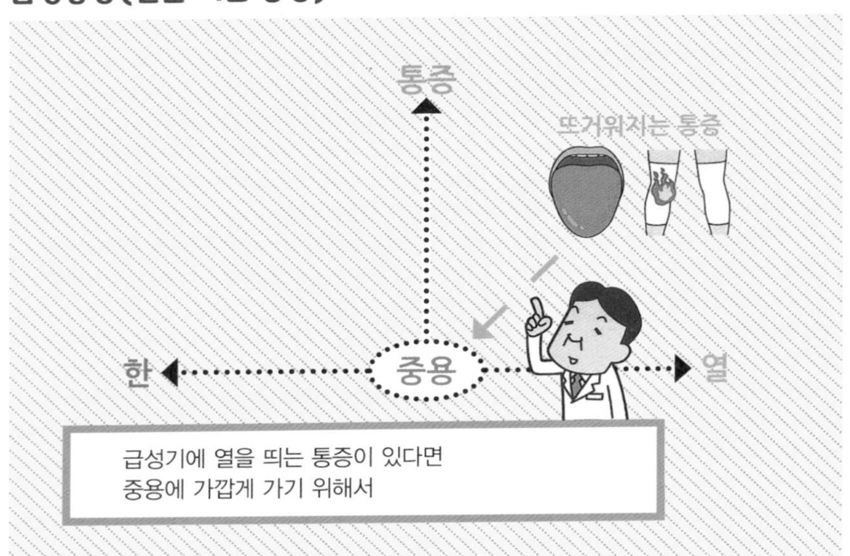
통증
뜨거워지는 통증
한
중용
열
급성기에 열을 띄는 통증이 있다면
중용에 가깝게 가기 위해서

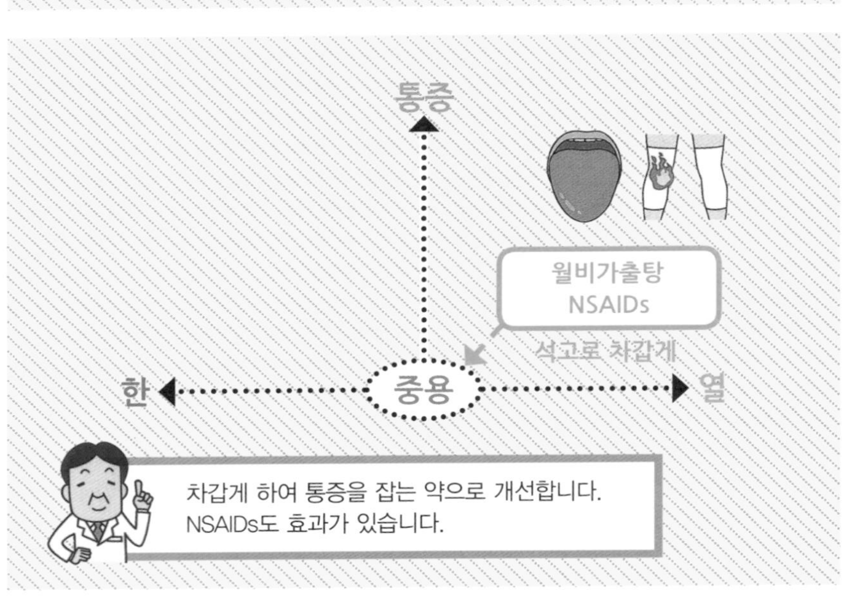
통증
월비가출탕
NSAIDs
석고로 차갑게
한
중용
열
차갑게 하여 통증을 잡는 약으로 개선합니다.
NSAIDs도 효과가 있습니다.

만성통증(차갑게 느끼는 통증)

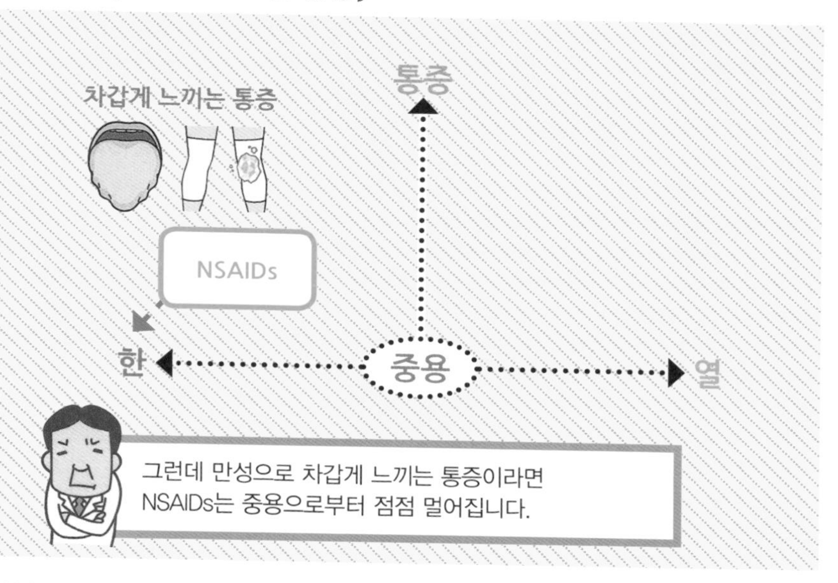

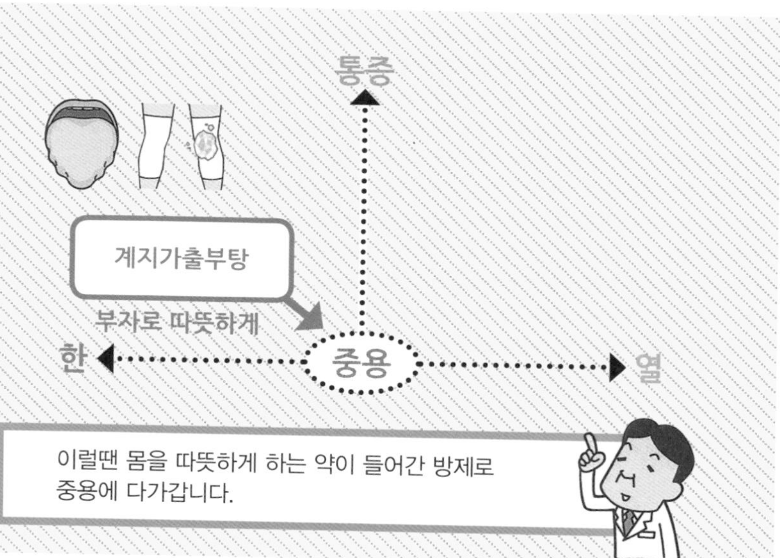

3. 이런 통증의 배경은

급성통증과 만성통증은 다르다

기타하라 마사키(北原雅樹, 도쿄지케이카이 의과대학) 선생께서 말씀하셨듯이 급성통증과 만성통증은 다르게 다뤄야 합니다.

급성통증은 침습에 따른 생체 염증 반응의 결과로 발생합니다. 단순하게 염증을 제거하는 것이 치료법이 되므로, 로키무코[록소닌®+무코스타®(레바미피드)]가 나설 차례이기도 합니다.

급성통증과 만성통증의 구별

(東京慈恵会医科大学 北原雅樹先生)

■ 급성통증 = 단순계

생물학적 인자(침습→염증→통증)

■ 만성통증 = 복잡계

생물학적인자 + **심리사회학적 인자**

가정·직장의 스트레스, 지역 갈등, 음주,
항불안제·진통제의 남용 등 **만성통증의 원인은 환자의 내면과 생활 배경에 숨어 있다.**

만성통증은 급성기를 지난 후에 생물학적 인자에 심리사회학적 인자가 더해진 복잡계로 병의 증상이 드러납니다. 만성통증이 되면 이제 로키무코로는 대적할 수 없습니다.

만성통증의 원인은 환자의 내면과 생활 배경에 숨어 있다고 합니다. 환자의 배경을 살피는 것이 한방의학을 잘하는 길입니다. 상세한 내용은 p.43에서 서술합니다.

본치本治와 표치標治

통증 치료는 대증요법標治, 표치이 최우선이 되기는 하지만, 통증 환자를 통증이 없는 환자라고 가정하여 본치本治, 증상의 근본이 되는 원인 치료에 주목해서 진찰하면 통증의 치료 방법을 찾을 수 있습니다.

본치와 표치

■ **본치=근본요법 • 원인요법**

만성질환의 치료, 체질 개선

■ **표치=대증요법**

급성증상이나 증상이 강하게 나타나고
있을 때에는 표치를 우선한다.

눈에 보이는 증상(표치)에 구애받지 않고,
환자 전체를 살피는 것(본치)이 한방 치료의 특징입니다.

모리모토 마사히코(森本昌宏, 긴키 대학) 선생께서 통증 치료의 비법을 말씀하셨습니다.

> ▷ 통증은 0이 될 수 없다.
>
> ▷ 통증과 잘 사귀자.
>
> ▷ 통증에 의식을 집중하지 않는다.
>
> ▷ 통증과는 바로 맞서지 않는다.
>
> (제49회 일본 통증클리닉학회 회장 강연)

통증 치료에서는 통증 이외의 병태, 본치에 주목하는 것이 포인트입니다. 이것도 p.43에서 상세하게 서술합니다.

4. 양약의 효능을 한약으로 바꾸어서 생각하면

p.30부터도 설명합니다만, 팔다리 통증에 대한 이수제[利水劑]는 한열[寒熱]에 따른 처방이 있습니다.

> ▷ 국소 열을 차갑게 하면서 통증을 잡는다 → 월비가출탕
> ▷ 뜨겁지도 차갑지도 않은 국소 부종을 처리하면서 통증을 잡는다 → 방기황기탕
> ▷ 국소를 따뜻하게 하면서 통증을 잡는다 → 계지가출부탕

통증의 한열에 따른 한약

월비가출탕

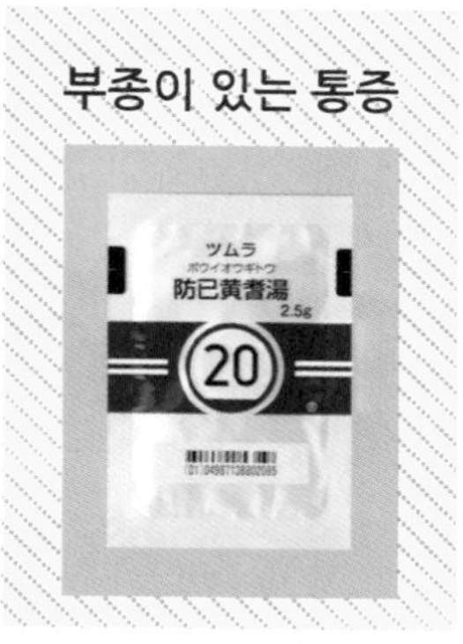

방기황기탕

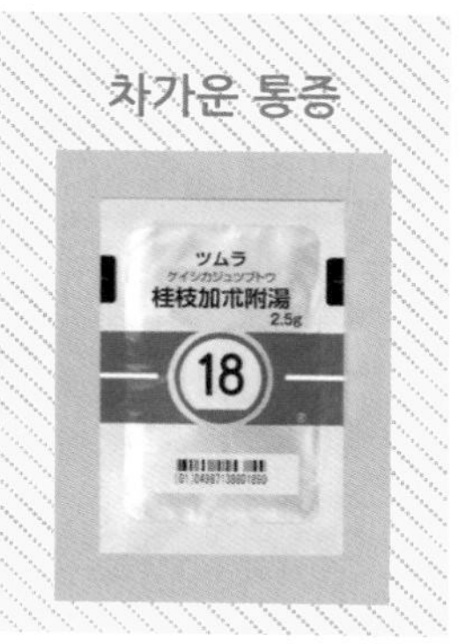

계지가출부탕

팔다리 통증의 이수제

무릎의 한열	작용	진통				진통		팔다리 통증	진통			
		냉각(冷却)		구수(驅水)		가온(加溫)			위장약			
	생약 / 이수제	석고	마황	방기	황기	계지	부자	출	생강	대조	감초	작약
열	월비가출탕	●	●					●	●	●	●	
중	방기황기탕			●	●			●	●	●	●	
한	계지가출부탕					●	●	●	●	●	●	●

월비가출탕 = 석고+마황: 차갑게 하면서 말린다.
방기황기탕 = 방기+황기: 차갑게도 따뜻하게도 하면서 말린다.
계지가출부탕 = 계지+부자: 따뜻하게 하면서 말린다.

팔다리 통증의 한열에 따른 치료

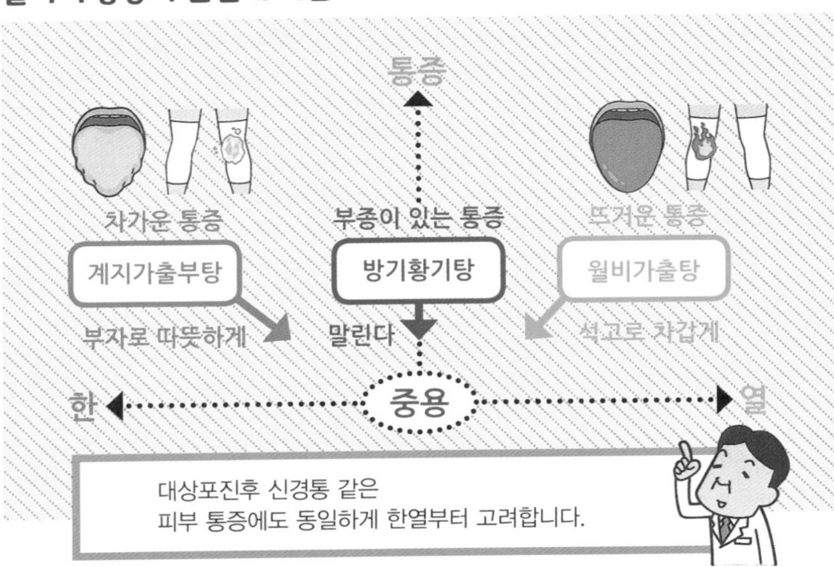

대상포진후 신경통 같은
피부 통증에도 동일하게 한열부터 고려합니다.

록소닌®을 한약으로 바꿔서 생각해보면, 국소 열을 차갑게 해서 통증을 잡는 것으로, 록소닌®과 월비가출탕의 방의는 비슷한 벡터라고 할 수 있습니다. 월비가출탕에는 **생강**과 **대조**와 **감초**라는 위장약 성분도 들어있어서 정확하게는 록소닌® + 무코스타® = 월비가출탕이라 할 수 있습니다.

chapter.2

氣血水의 이상

1. 통증의 큰 원인, "水"와 "血"의 치료

수水

한방의학에서는 우리 몸은 기혈수氣血水라는 세 가지 에너지가 흐르고 있고, 기혈수의 이상으로 통증이 발생한다고 생각합니다.

통증의 원인으로 수水의 이상이 가장 많다고 봅니다. 일본은 습기가 많은 기후인데다 물로 밥을 짓고, 된장국과 차를 마시며, 최근에는 단 음식이 넘쳐나는 생활 습관의 영향을 받아 수체水滯가 되는 사람이 많다고 보고 있습니다.

물이 고일 만한 곳에 수체 증상이 나타납니다. 증상에 따른 수체의 방제(이수제利水劑라고 합니다)를 결정합니다. 일본은 예로부터 수체 환자가 많아서 이수제 라인업이 특히 충실합니다.

팔다리 골절과 대상포진의 통증은 피부 관절형 수체라고 생각해서, 이수제로 치료합니다.

▷ 국소 열을 차갑게 하면서 통증을 잡는다 → 월비가출탕
▷ 뜨겁지도 차갑지도 않은 국소 부종을 처리하면서 통증을 잡는다 → 방기황기탕
▷ 국소를 따뜻하게 하면서 통증을 잡는다 → 계지가출부탕

기혈수: 생체를 유지하는 3요소

한방의학에서는 생체는 기혈수의 3요소가
체내를 순환함으로써 유지된다고 봅니다.

통증의 원인: 기혈수의 이상

	순환부전(정체·역류)		양부족
수	수체水滯 치료: 과잉 부위부터 부족한 부위로 수를 재분배한다		음허陰虛 치료: 수를 보충
혈	어혈瘀血 치료: 혈을 순환시킨다		혈허血虛 치료: 혈을 보충
기	기울氣鬱 치료: 기를 순환시킨다	기역氣逆 치료: 기를 내린다	기허氣虛 치료: 기를 보충

수체[水滯]의 진단 기준(데라사와 스코어)

寺澤捷年, 絵でみる和漢診療学, 東京, 医学書院, 1996, p.48.

자각증상	스코어	자각증상	스코어
부종 경향, 위부 진수음	15	다뇨	5
흉수, 심낭수, 복수	15	박동성 두통	4
조조강직	7	거품 가래	4
요량 감소	7	몸이 무거움	3
차멀미	5	오심, 구토	3
어지러움	5	장명	3
일어설 때 어지러움	5	머리가 무거움	3
제상계*	5	맑은 콧물	3
물설사	5	타액 분비 과다	3
스코어 합계 13점 이상이 수체			

*제상계[臍上悸]: 복부대동맥 박동 항진

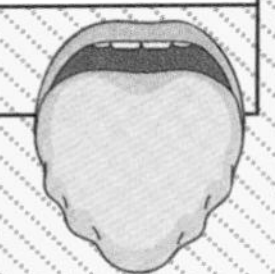

혀가 부어 있고 치아 형태에 따라 치흔이 생긴 혀는 수체의 소견입니다.

수의 편재 부위에 따른 수체[水滯]의 분류

부위	증상	이수제
전신	구갈, 부종	오령산, 시령탕(소시호탕+오령산)
	어지러움	영계출감탕, 반하백출천마탕, 진무탕
피부 관절 (표[表])	열	월비가출탕 → 혈허합병[血虛合併] → 의이인탕
	한열중간	방기황기탕 → 혈허합병 → 소경활혈탕
	한	계지가출부탕 → 혈허밥병 → 대방풍탕
호흡기	재채기, 콧물, 가래	소청룡탕, 마황부자세신탕
		마황으로 위가 아픈 사람: 영감강미신하인탕
	흉수	목방기탕
위장 (리[裏])	오심, 구토, 설사	소반하가복령탕, 복령음, 육군자탕 계비탕, 인삼탕, 진무탕
	편두통	오수유탕
하반신	비뇨기(리[裏])	용담사간탕, 오림산, 저령탕
	허리·다리통증	영강출감탕, 우차신기환

혈血

통증의 원인으로 수 다음으로 많이 차지하는 것이 혈血의 이상입니다. 당연히 흘러야 할 혈관에서 혈액이 새어 버린 상태를 어혈瘀血이라고 합니다. ▷ 골절 등의 외상 ▷ 뇌졸중 등의 혈관 장애 ▷ 산부인과 등의 질환이 어혈에 해당합니다.

어혈瘀血의 진단 기준(데라사와 스코어)

寺澤捷年, 絵でみる和漢診療学, 東京, 医学書院, 1996, p.48.

자각증상	스코어 남/여	자각증상	스코어 남/여
안검 색소 침착	10/10	배꼽 주변 압통·저항(좌)	5/5
배꼽 주변 압통·저항(우)	10/10	직장S상결장 압통·저항	5/5
혀가 암적자색	10/10	늑골궁 아래 압통·저항	5/5
치질	10/5	우하복부 압통·저항	5/2
잇몸이 암적자색	10/5	수장 홍반	2/5
피하 출혈	2/10	거친 피부	2/5
월경 장애	-/10	안면 색소 침착	2/2
모세혈관 확장, 거미 혈관종	5/5	입술이 암적자색	2/2

스코어 합계가 21점 이상이면 어혈, 40점 이상은 중증 어혈

자각 증상 정도가 가벼우면 1/2로 채점

어혈 환자는 잇몸이 암적자색이 됩니다.

여성은 월경을 하기 때문에 어혈 진단 스코어는 남성과 여성이 차이가 납니다.

눈가장자리와 잇몸이 자색으로 변하는 등 어혈 증상이 눈에 보입니다. 흡연은 어혈의 큰 원인입니다. 흡연자의 잇몸색이 자색으로 되는 경우가 많으며, 예를 들어 방송에 잘 나오는 연예인의 잇몸을 보면, 연애 중에는 예쁜 색을 가지고 있다가, 파국 뒤에는 스트레스로 흡연을 하여 지저분해지는 현상을 볼 수 있습니다.

배를 촉진해서 처방을 선택합니다.

▷ 왼쪽 아랫배에 압통점이 있다. → 도핵승기탕
▷ 오른쪽 아랫배에 압통점이 있다. → 대황목단피탕
▷ 심하비경心下痞硬과 복부팽만이 있다. → 통도산
▷ 배꼽 주위에 압통이 있고 변비는 없다. → **계지복령환**

어혈: 구어혈제驅瘀血劑

작용	진통											진통				
	어혈瘀血				보혈補血			기울氣鬱				기역氣逆 냉증冷症 상기上氣			이수利水	
	혈종제거		소복통			두통	진경	변비		배농	심하비				진정	
생약 / 구어혈제	소목·홍화	천골·박속	도인	목단피	당귀	천궁	작약	대황	망초	동과자	지실·후박	정자	계피	감초	복령	목통·진피
도핵승기탕			●					●	●				●	●		
대황목단피탕			●	●				●	●	●						
통도산	●				●			●	●		●			●		●
계지복령환			●	●			●						●		●	
치타박일방		●				●		●				●	●	●		

복진에 따른 구어혈제 사용 구분

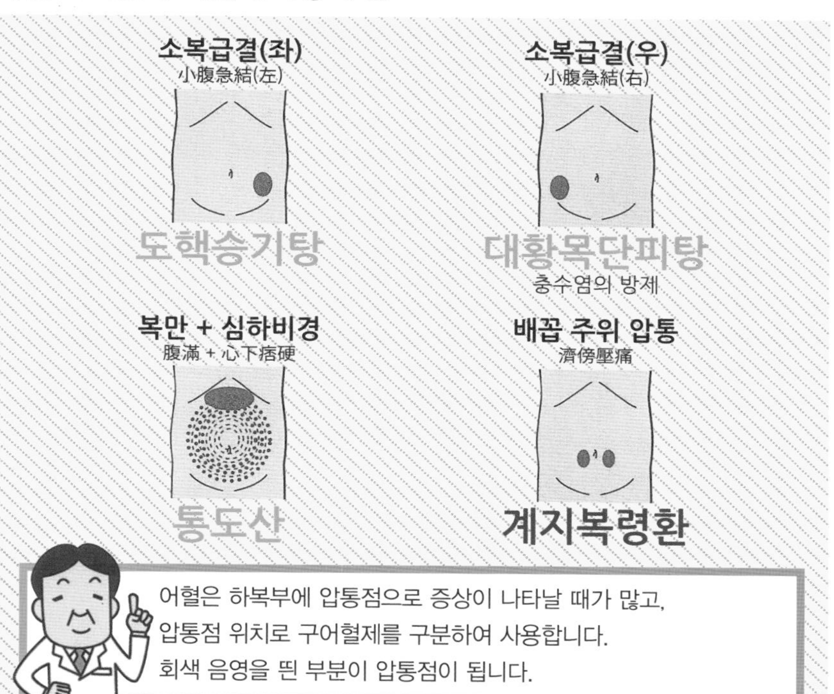

대황목단피탕을 양약에 배열하면

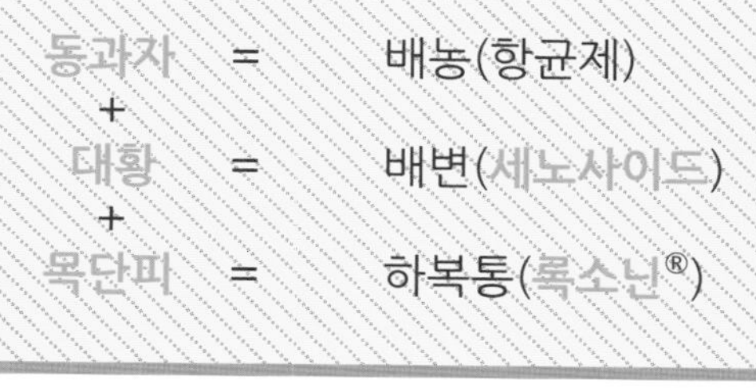

대황목단피탕은 오른쪽 아랫배에 압통이 있는 카타르성 충수염의 방제로 2천 년 이전 중국에서 개발하여 장중경(張仲景) 선생이 『금궤요략金匱要略』이라는 책에 발표하였습니다. 항균제(동과자로 배농) + 설사제(대황으로 고름을 항문으로 보냄) + 진통제(목단피로 아랫배 통증을 잡음) 세 가지 작용을 조합한 방제입니다. 옛 사람의 지혜가 정말 대단합니다.

음허陰虛

류마티스성 관절염이라는 염증성 질환은 초기 단계에는 부종이 생깁니다(수체水滯). 이환 기간이 길어지면 염증의 열기 때문에 몸이 건조해집니다(음허陰虛).

염증성 질환의 설진

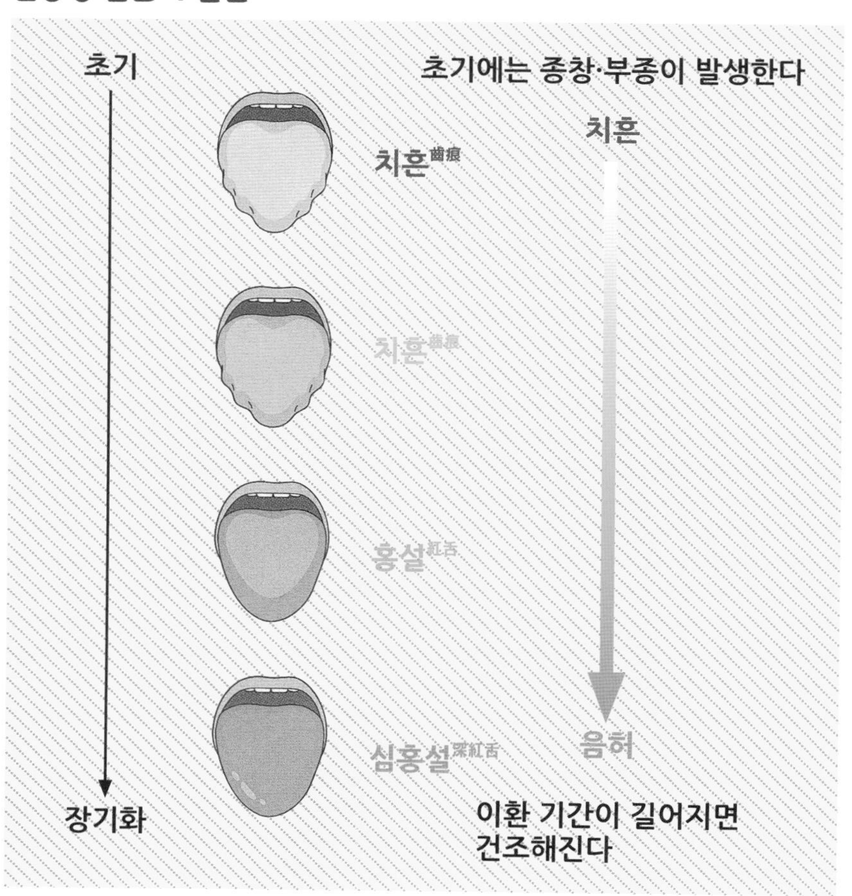

몸이 건조해지면서 몸에 이런저런 부조화가 생겨납니다. 몸이 건조해지는 것을 음허라고 하며, 몸을 윤택하게 하는 방제를 자음제滋陰劑라고 합니다.

음허: 자음제

심홍설

OS-1

작용	자음									건조						진정鎭靜
	청열清熱				보기補氣				보혈補血	청열清熱			기역氣逆		지한止汗	
										실實	허열虛熱					
생약 / 자음제	맥문동	석고	지모	천문동	인삼	갱미	대조	감초	당귀·지황·작약	황금	황백	지골피·차전자	반하	출·진피	황기	복령·연육
맥문동탕	●				●	●	●	●					●			
백호가인삼탕		●	●		●	●		●								
청심연자음	●				●			●		●		●			●	●
자음강화탕	●		●	●				●	●		●			●		

자음제에는 앞의 표와 같은 라인업이 있으므로, 몸이 건조해지면서 수반하는 여러 가지 증상에 맞추어 다음과 같이 처방합니다.

▷ 윤택하게 하면서 기침을 멈춘다 → **맥문동탕**
▷ 윤택하게 하면서 고열에 대처 → **백호가인삼탕**
▷ 윤택하게 하면서 이뇨를 시켜 정신 질환에 대처 → **청심연자음**
▷ 만성 염증성 질환의 급성 악화에 대처하여 윤택하게 하면서 붓기를 잡고 진통 → **자음강화탕**

자음제를 양약에 배열하면

맥문동탕	=	정맥수액	+ **메디콘®**	
백호가인삼탕	=	정맥수액	+ **얼음주머니**	
청심연자음	=	정맥수액	+ **라식스®**	+ **세레네이스®**
자음강화탕	=	정맥수액	+ **라식스®**	+ **록소닌®**

신허腎虛

콩팥腎은 p.14에서도 설명하였듯이 부모로부터 받은 생명 에너지(선천의 기先天之氣라고 합니다)의 저장 탱크지만, 음식으로부터 얻는 에너지(후천의 기後天之氣라고 합니다)의 저장 탱크도 있습니다.

노화로 저장 탱크 안의 생명 에너지가 부족해지는 상태를 신허腎虛라고 합니다. 신허가 되면 눈이 흐려지거나 귀가 멀거나 합니다. 사고·판단·집중력이 떨어지고, 초조해하거나 멍하게 됩니다. 골다공증과 근력저하로 운동기능저하 증후군Locomotive Syndrome이 발생하고, 허리와 다리 통증이 나타납니다.

신腎의 기능과 노화 현상(=신허)

기능	의미	신허 증상
정精을 저장	선천 + 후천의 기를 저장 성장·발육·생식을 관장	전신이 차갑다 소복불인小腹不仁 (배꼽 아래가 연약)
골骨을 주관	뼈·이(뼈의 잉여물)를 자양	골다공증, 치아탈락
수水를 주관	물의 분포·배설	부종, 요불리尿不利, 갈증
납기納氣를 주관	호흡 기능을 유지	호흡곤란
지志를 주관	정신·의식을 건전하게 보호	의식장애, 수면장애
수髓를 생성 (신은 작강作强 기관)	피를 만들고, 뇌를 만든다. 사고·판단·집중력	눈 흐릿, 피부 건조, 손발 뜨거움, 치매
귀	귀 기능을 보호	난청, 이명
모발	모발을 건강하게 보호	백발, 탈모

신허로 생긴 통증에는 보신제補腎劑를 사용합니다.

손발이 뜨거우면서 잠이 오지 않는다는 환자는 → **육미환**
손발이 차가우면서 잠이 오지 않는다는 환자는 → **팔미지황환** 이나 **우차신기환**

신허: 보신제(육미환류)

작용		자음보혈 滋陰補血	보기補氣		이수利水			진통: 활혈 活血	진통: 소복불인	진통: 보양補陽 따뜻하게	
분류	생약 / 육미환류	지황	산수유	산약	택사	차전자	복령	우슬	목단피	계피	부자
자음제	육미환	●	●	●	●		●		●		
음양쌍보제 陰陽雙補劑	팔미지황환	●	●	●	●		●		●	●	●
	우차신기환	●	●	●	●	●	●	●	●	●	●

하반신의 습열, 어혈을 개선

양 음 충용
양 음 신음허(발이 뜨겁다, 갈증, 피부건조)=자음제
양 음 신음허+신양허(다리가 차갑다)=음양쌍보제

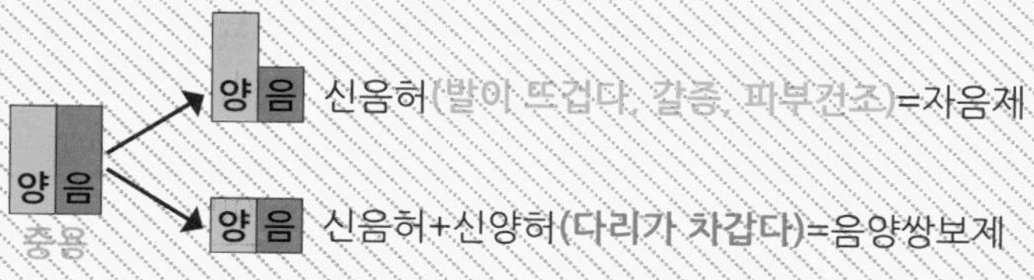

당뇨병성 신경병증이나 항암제로 말초신경장애를 수반하는 하지마비에는 우슬과 차전자를 넣어 하반신에 작용하는 방제로 만든 우차신기환이 효과가 있습니다. 이미 진행이 완료된 신경장애는 유효성이 낮지만, 항암제 시작과 함께 우차신기환을 함께 사용하여 신경장애를 예방하는 방법으로 사용하는 것이 포인트입니다.

2. 잊어서는 안되는 "氣"의 치료

氣의 이상과 치료

통증의 원인으로 잊어서는 안되는 것이 기氣의 이상입니다.

옛날 사람은 밥을 지을 때 솥에서 일어나는 수증기를 보면서, 쌀 속에서 나오는 눈에 보이지 않는 에너지에 '기'라는 이름을 붙였습니다. '기'가 붙은 말에는 공기, 분위기, 전기 등 여러 가지가 있습니다만, 모두 눈에 보이지 않아도 거기에 있는 에너지로써 존재하고 있습니다.

기는 생명 에너지 그 자체입니다. 우리는 부모로부터 기를 받아서 태어났고, 맛있는 음식을 먹거나 맛있는 공기를 마셔서 기를 체내에 받아들여 생명 활동을 영위합니다. 병이 들고 나이가 들면서 기를 다 소진하면, 우리는 이 세상을 떠나 극락정토로 왕생한다는 것입니다.

통증 환자는 기의 문제를 포함하고, 기의 이상에는 다음 세 가지가 있습니다.

▷ 기허氣虛…기를 체내에 가두지 못하거나 과하게 사용하면 기가 부족해진다.

▷ 기역氣逆…스트레스로 화를 낸다.

기의 이상과 치료법

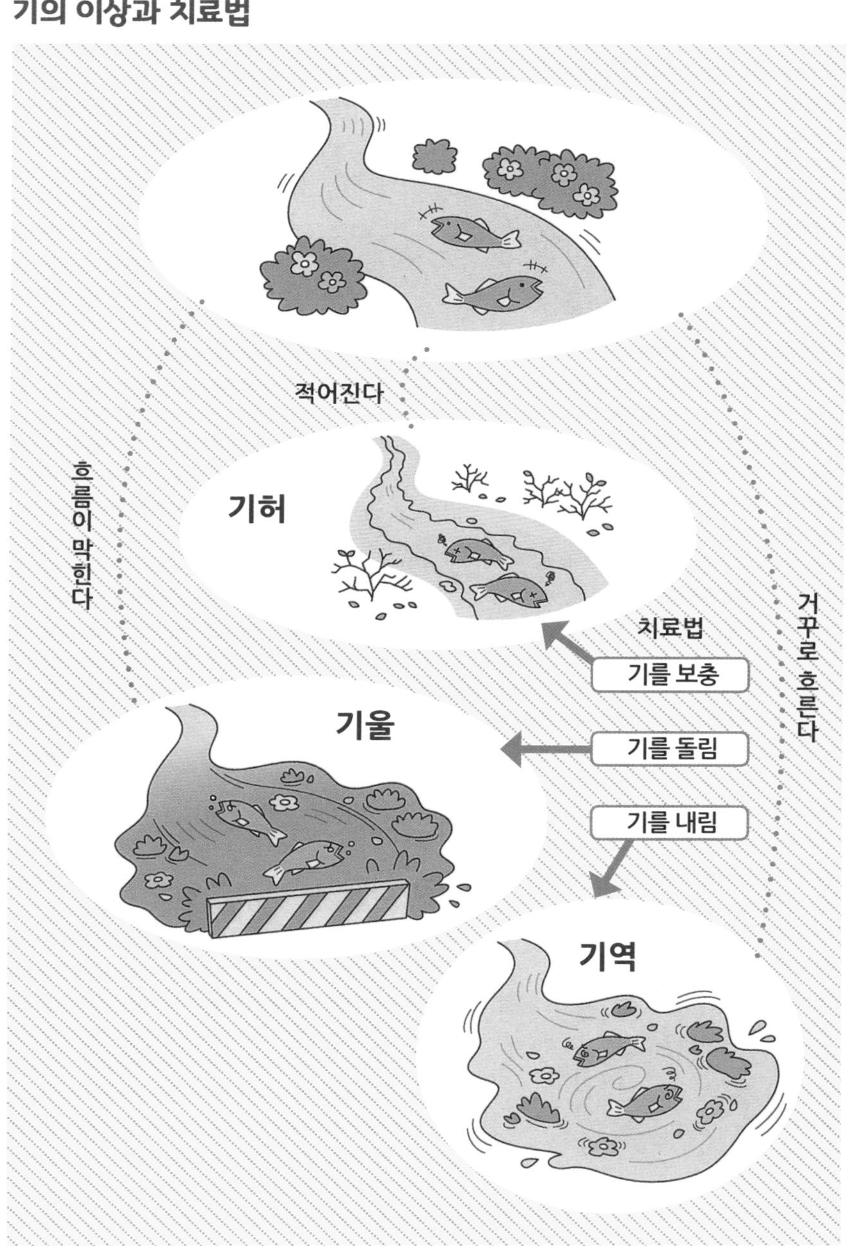

▷ 기울氣鬱…스트레스로 기의 흐름이 막힌다.

氣를 진단하는 훈련

지나가는 사람을 바라보거나, TV 뉴스를 보는 것은 기의 이상을 진단하는 훈련에 연결됩니다. 뉴스를 그냥 멍청히 보는 것이 아니라, '이 사람은 기허다', '이 사람은 기울이겠구나', 눈으로 진단을 하면서 보세요. 환자를 보는 것을 서양의학에서는 시진視診이라고 하지만, 동양의학에서는 망진望診이라 해서 환자를 보면서 그 사람이 가지고 있는 고민 등도 기의 이상으로 진단합니다. 망진이 가

뉴스로 느끼는 기의 이상

능해지면 나날이 진료의 폭이 늘어납니다.

"기분 탓"은 氣를 치료

선생님들의 클리닉에서도 “몸이 나른하고 기력이 따르지 않고 쉽게 피곤합니다”라는 환자를 쉽게 보실 겁니다. 이럴 때 선생님들은 “기분 탓이예요, 맛있는 것을 드시면서 마음 편하게 쉬세요”라고 환자들에게 말씀하실 겁니다. 이른바 “부정수소[1]”라는 겁니다. 그러나 이 책을 손에 든 선생님은 “기허氣虛”라고 진단할 수가 있어서, “아, 기분 탓이네요”라고 환자에게 하는 이야기는 같지만, 기허 치료를 시작할 수 있습니다.

기허氣虛의 진단 기준(데라사와 스코어)

寺澤捷年, 絵でみる和漢診療学, 東京, 医学書院, 1996, p.34.

자각증상	스코어	자각증상	스코어
몸이 나른하다	10	배힘이 약하다	8
기력이 없다	10	눈빛·목소리가 약하다	6
쉽게 피로하다	10	소복불인**	6
내장 무력증*	10	낮에 졸린다	6
혀가 담백홍淡白紅	8	설사 경향	4
감기에 잘 걸린다	8	식욕부진	4
맥이 약하다	8	잘 놀란다	4
스코어 합계가 30점 이상이 기허 자각 증상 정도가 가벼우면 1/2로 채점			

*내장 무력증: 위하수, 신하수, 자궁하수, 탈항 등

**소복불인小腹不仁: 배꼽 아래 복벽 긴장도 저하

[1] 부정수소不定愁訴: 뚜렷하게 어디가 아프거나 병이 있지도 아니하면서 병적 증상을 호소하는 것. 머리의 무거움이나, 초조감, 피로감, 불면 따위의 자각 증상이 나타나지만 실제로 검사하여 보면 아무 이상도 발견되지 않는다.

데라사와 가쓰토시[2]선생이 만든 진단 기준을 활용해서 기허를 진단합니다.

> ▷ 기를 너무 소모해서 긴장을 조절하지 못하는 긴장성 기허가 된 환자에게 추천 → **계지가작약탕**
>
> ▷ 식사를 할 수 없어서 원기元氣가 빠져나간 환자에게 추천 → **인삼탕**이나 **보중익기탕**

"기허↔회복" 곡선

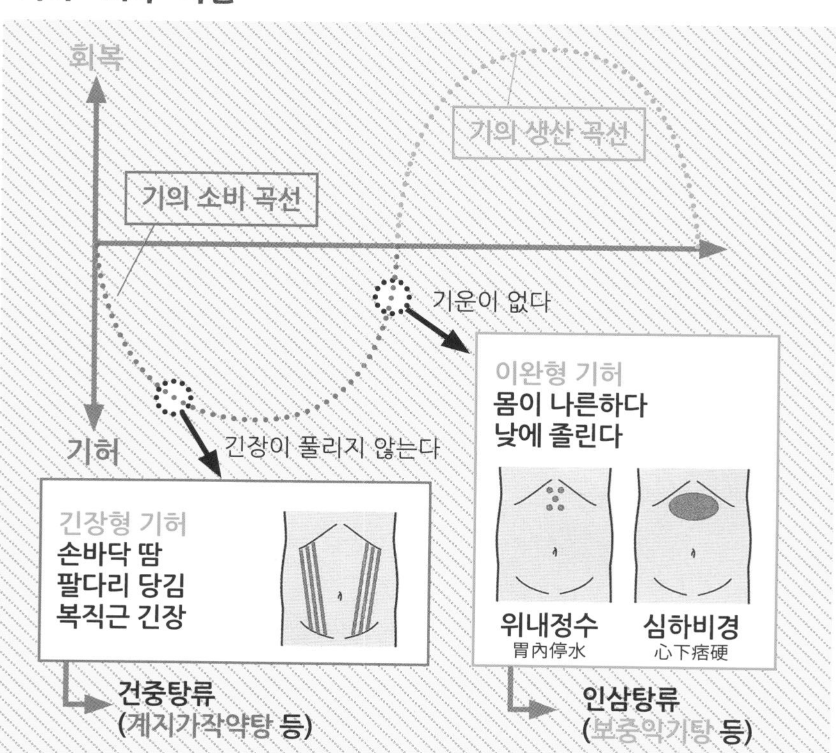

[2] 데라사와 가쓰토시(寺澤捷年, 1944~): 일본 의사, 화한진료학(和漢診療學) 창시자. 현 지바쥬오메디컬센터 화한진료과 부장. 국내에는 『증례로 배우는 동서의학(症例から學ぶ和漢診療學)』(서울: 군자, 2008) 등이 출간되었다.

기허에 따른 보제補劑 사용 구분

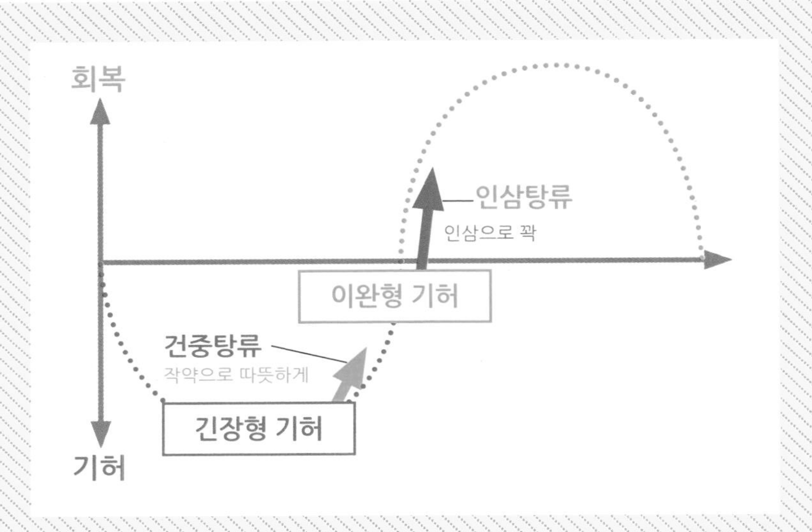

긴장형 기허: 작약으로 따뜻하게 이완

미오날® + 부스코판® + 데파스® = 계지가작약탕

소아용 이완제 = 소건중탕

이완형 기허: 인삼으로 꽉 긴축

자극형 변비약 = 대건중탕

구토·설사 후 식욕 개선 = 인삼탕

정신적 쇼크 · 상실감 개선 = 육군자탕

위 절제 후 더부룩함 = 복령음

슈퍼 보기약 = 보중익기탕

대표 보제補劑

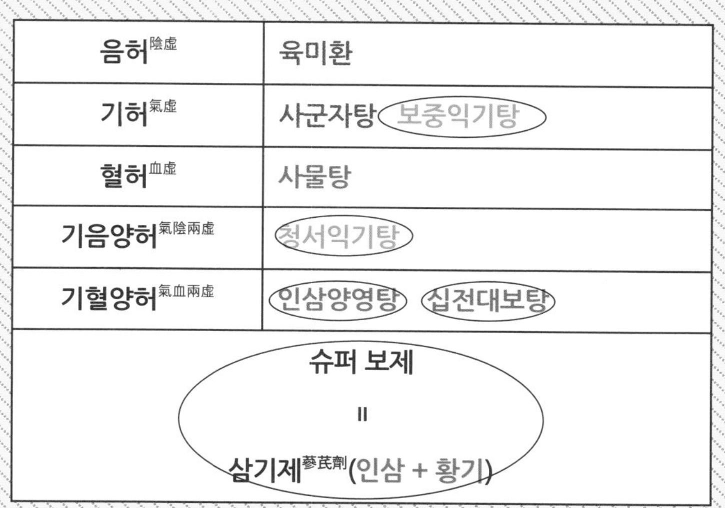

음허陰虛	육미환
기허氣虛	사군자탕 (보중익기탕)
혈허血虛	사물탕
기음양허氣陰兩虛	(청서익기탕)
기혈양허氣血兩虛	(인삼양영탕) (십전대보탕)
슈퍼 보제 = 삼기제蔘芪劑(인삼 + 황기)	

○표시한 보중익기탕, 청서익기탕, 인삼양영탕, 십전대보탕이 삼기제입니다.

氣逆과 氣鬱

기라는 물질은 흐름이 있어서, 보통 머리 꼭대기에서부터 손끝·발끝을 향해 내려옵니다. 이완할 때나 잘 때는 손발이 따뜻합니다. 그런데 통증과 스트레스를 안고 있는 경우, 기의 흐름이 거슬러 오르거나 혹은 막히거나 합니다. 기역氣逆과 기울氣鬱도 데라사와 가쓰토시 선생의 진단 기준에 따라 진단합니다.

기역氣逆의 진단 기준(데라사와 스코어)

寺澤捷年, 絵でみる和漢診療学, 東京, 医学書院, 1996, p.38.

자각증상	스코어	자각증상	스코어
두열족한	14	초조감	8
제상계*	14	발작성 두통	8
안면 홍조	10	잘 놀란다	6
힘든 기침	10	복통 발작	6
동계 발작	8	다리·팔다리의 냉감	4
구토(오심이 적다)	8	손바닥·발바닥의 땀	4

스코어 합계가 30점 이상이면 기역
자각 증상 정도가 가벼우면 1/2로 채점

*제상계臍上悸: 정중앙 복벽에 가볍게 손을 댈 때 느끼는 복부 대동맥의 박동 항진

손발이 차갑고 머리가 뜨거운 "두열족한頭熱足寒"은
기역의 특징적인 소견입니다.

기울氣鬱의 진단 기준(데라사와 스코어)

寺澤捷年, 絵でみる和漢診療学, 東京, 医学書院, 1996, p.36.

자각증상	스코어	자각증상	스코어
억울抑鬱	18	시간에 따라 증상 변동	8
목구멍 답답함	12	일찍 일어나지 못한다	8
머리가 무겁고 상기	8	복부 공명음	8
가슴이 막힌듯한 느낌	8	잦은 방귀	6
옆구리 답답함	8	트림	4
복부 팽만감	8	잔뇨감	4

스코어 합계가 30점 이상이면 기울
자각 증상 정도가 가벼우면 1/2로 채점

몸의 어딘가가 막힌 느낌이 드는 것은 기울의 특징적인 소견입니다.

不定愁訴가 기다려진다

여기까지 기허, 기역, 기울에 대한 데라사와 가쓰토시 선생이 만든 진단 기준을 보면서 "뭐야 이거, 부정수소不定愁訴 투성이잖아"라고 알아차린 선생님이 있으리라 생각합니다.

그렇습니다. 서양의학에서는 방해자로 취급 받던 부정수소가 한방의학에서는 진단과 치료의 힌트가 됩니다. 부정수소가 많으면 많을수록 한방 진단(=증證)에 이르는 확률이 높아집니다. 병명을 붙일 수 없어 서양의학에서는 어쩔 수 없었던 부정수소가, 무려 한방의학에서는 "기허"나 "기울"이라고 하는 진단이 붙어 치료의 대상이 됩니다.

한방 공부를 하다 보면 부정수소 환자가 오는 것을 기다리게 됩니다. 환자에게도 의사에게도 매우 이롭습니다.

두통 한약

두통의 기본 방제로 네 가지 방제를 소개합니다.

갈근탕은 감기약일 뿐만 아니라, 어깨가 뻐근한 두통의 방제로 처방할 수 있습니다.

오령산은 모임 뒤의 숙취로 생긴 두통이 적응증입니다. 최근에는 뇌신경외과 영역에 만성 경막하혈종에 **오령산**이 효과가 있어서 화제가 되었습니다.

조등산과 **오수유탕**은 모두 기역氣逆이 원인인 편두통의 방제이지만, 한열이 전체적으로 반대인 방제입니다. 같은 기역이 원인이 되는 편두통이라도 상기되어, 얼굴이 붉어지는 환자는 **조등산**을, 창백한 얼굴에 손발이 찬 환자는 **오수유탕**을 상태에 맞게 구분하여 사용합니다.

기울 두통

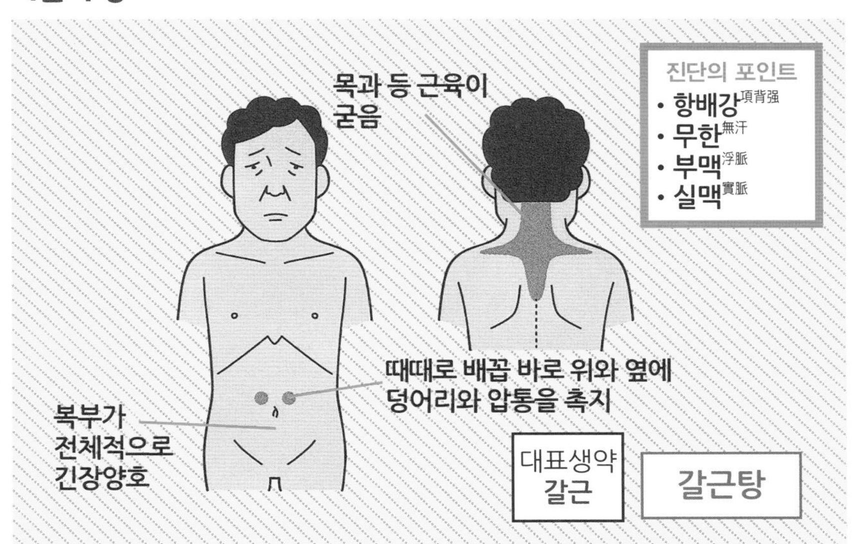
진단의 포인트
• 항배강項背强
• 무한無汗
• 부맥浮脈
• 실맥實脈
목과 등 근육이
굳음
때때로 배꼽 바로 위와 옆에
덩어리와 압통을 촉지
복부가
전체적으로
긴장양호
대표생약
갈근
갈근탕

수체 두통

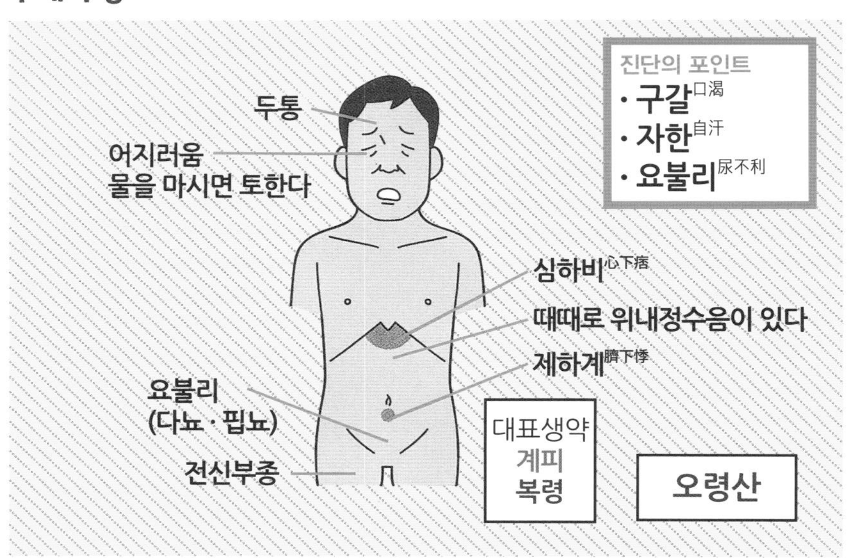
진단의 포인트
• 구갈口渴
• 자한自汗
• 요불리尿不利
두통
어지러움
물을 마시면 토한다
심하비心下痞
때때로 위내정수음이 있다
제하계臍下悸
요불리
(다뇨 · 핍뇨)
전신부종
대표생약
계피
복령
오령산

기울 + 기역 두통

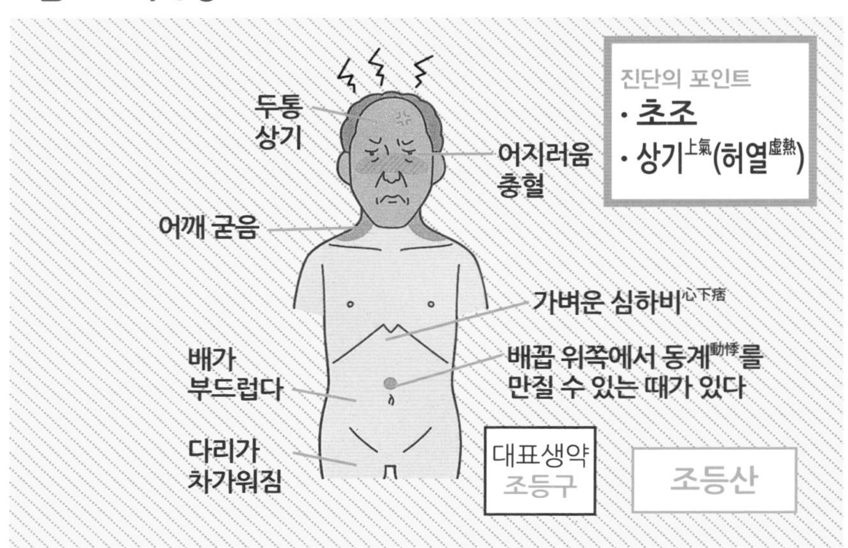
두통
상기
어지러움
충혈
어깨 굳음
가벼운 심하비心下痞
배가
부드럽다
배꼽 위쪽에서 동계動悸를
만질 수 있는 때가 있다
다리가
차가워짐
진단의 포인트
• 초조
• 상기上氣(허열虛熱)
대표생약
조등구
조등산

기역 두통

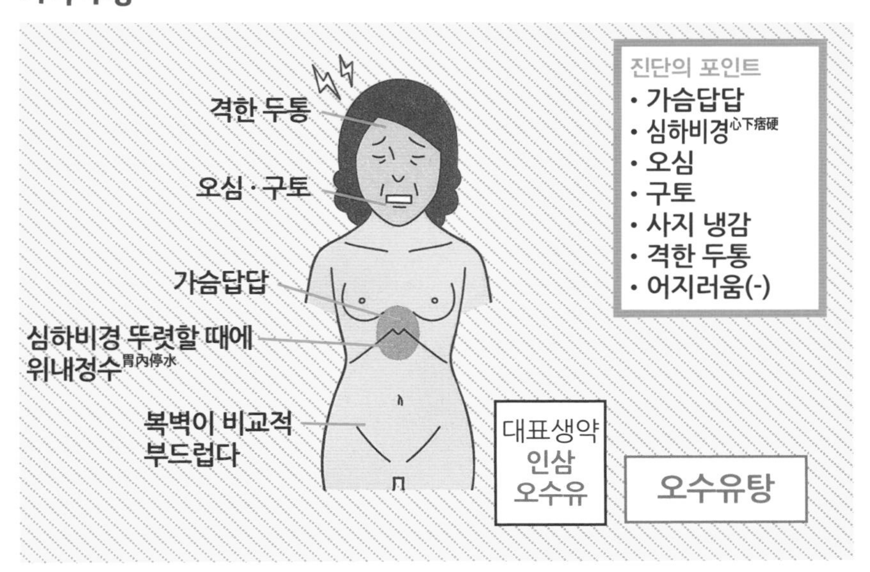
격한 두통
오심 · 구토
가슴답답
심하비경 뚜렷할 때에
위내정수胃內停水
복벽이 비교적
부드럽다
진단의 포인트
• 가슴답답
• 심하비경心下痞硬
• 오심
• 구토
• 사지 냉감
• 격한 두통
• 어지러움(-)
대표생약
인삼
오수유
오수유탕

chapter.3

柴胡劑

=

인간 관계 조정제

1. 肝脾

시호제柴胡劑를 이해하기 위해서 좀 복잡한 이야기입니다만, 오장五臟을 이야기하지 않으면 안 됩니다.

오장이론

인간을 단순히 다섯 가지의 시스템으로 이해하려는 것이 오장이론五臟理論입니다.

> **비**脾로 맛있는 음식을 섭취하고, **폐**肺로 맛있는 공기를 빨아들이며, **심**心으로 전신에 에너지를 순환시키고, **신**腎으로 잉여 수분을 배설합니다.

이러한 네 장기(선수)가 잘 기능하고 있는지 감독하는 것이 **간**肝입니다.

간비불화

몸 상태가 양호할 때는 간장 감독은 네 선수가 일을 잘 하는지 지켜보지만, 간장 감독이 스트레스를 받으면 초조한 간장 감독이

오장과 기혈수

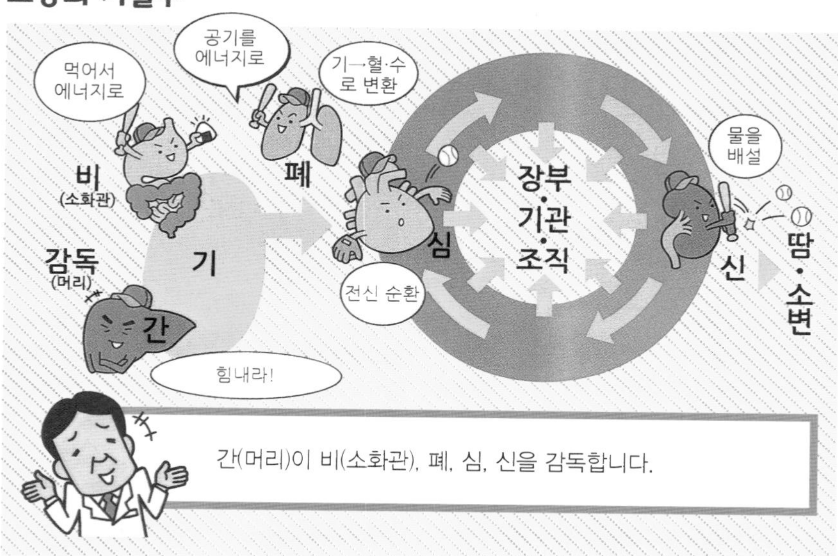
먹어서 에너지로
공기를 에너지로
기→혈·수로 변환
물을 배설
비
(소화관)
폐
심
장부·기관·조직
신
땀·소변
감독
(머리)
기
간
전신 순환
힘내라!
간(머리)이 비(소화관), 폐, 심, 신을 감독합니다.

간비불화

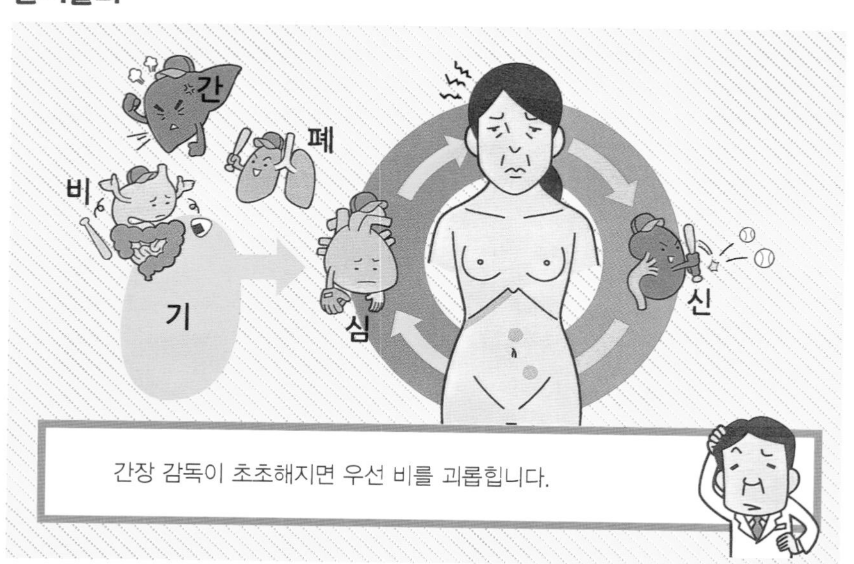
간
폐
비
기
심
신
간장 감독이 초초해지면 우선 비를 괴롭힙니다.

우선 비를 괴롭힙니다(간비불화肝脾不和라고 합니다). 초조해서 쓸데없이 먹거나, 식욕이 없어지거나 하는 것은 여러분에게도 있을 겁니다. 비의 이상은 곧 심에 미쳐 몸 전체의 기운이 빠져나갑니다.

초조한 상태에 시호제를 사용합니다. 시호제는 p.64부터 설명하겠지만, 복진과 오장의 상태에 따라 구분해서 사용합니다.

2. 시호제는 psycho제[3]

시호제의 효능

한방강연회에서 보통 하는 이야기인데, 시호제柴胡劑는 인간관계 조정제입니다. 어쨌든 살아가기 힘든 세상에서 조금이라도 마음을 편하게 지내도록 하기 때문에 시호제는 꼬인 인간 관계를 복원합니다.

시호제는 아래 세 가지 효능이 있는데, 방제에 따라 효능 **1~3**의 조율이 다릅니다.

1. 간肝의 초조를 누른다
2. 비脾(소화관)를 지킨다
3. 심心의 피를 순환시킨다

시호제의 사용 구분

p.61에 시호제의 라인업과 구성 생약을 게시하였습니다. 시호라던가 황금이라던가, 구성 생약을 외우기는 힘들지만, 결국 구성 생약과 약효를 외우면 한약의 이해가 깊어지는 속도가 빨라지며,

[3] 시호의 일본어 발음이 "사이코(サイコ)"로, '정신 장애인'을 낮잡아 이르는 "사이코(psycho)"와 발음이 비슷하다.

결과적으로 한약 공부가 발전하므로 의욕 있는 선생님은 꼭 열심히 해 봅시다.

지나치게 남에게 엄격한 사람은 대시호탕이라는 간의 초조를 누르는 방제로 몸의 기세를 빼게 합니다. 힘이 없으면서 이직을 생각하고 있는 사람은 시호계지건강탕이라는 소화관을 지키면서 피를 순화시키는 방제로 조금이라도 더 힘을 낼 수 있도록 합니다.

오장을 중재하는 방제: 시호제

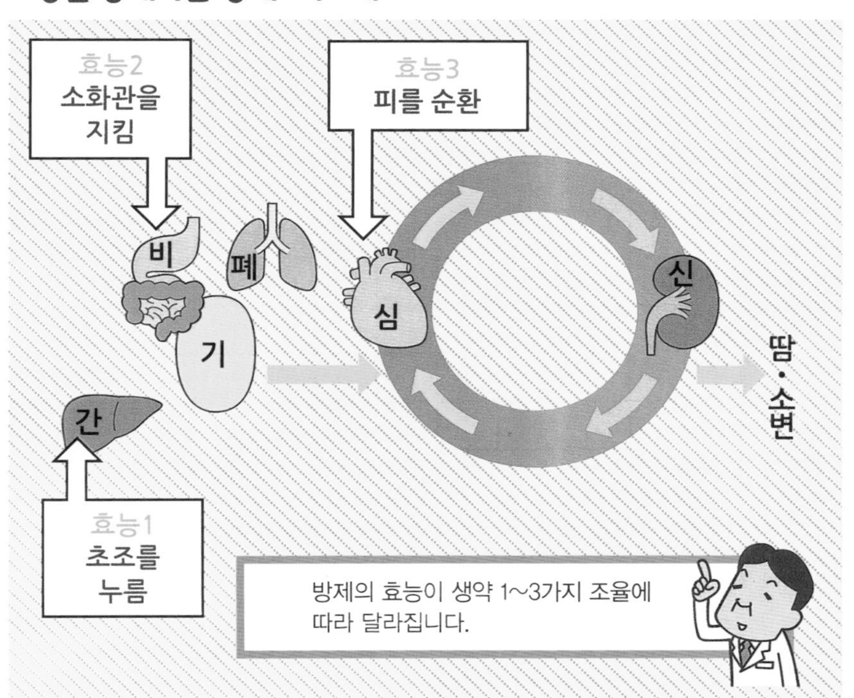

초조형 기울: 시호제

작용	진통							진통						진통								
	기울氣鬱							기역氣逆							기허氣虛				혈허血虛			어혈瘀血
	초조		변비		윤潤	머리		상기上氣		동계動悸		진정鎭靜		냉冷	심하비心下痞							
시호제 \ 생약	시호	황금	대황	지실	괄루근	조등구	박하	계피	감초	출	복령	용골	모려	산치자	반하	생강	인삼	대조	작약	당귀	천궁	목단피
대시호탕	●	●	●	●											●	●		●	●			
시호가용골모려탕	●	●						●			●	●	●		●	●	●	●				
사역산	●			●					●										●			
가미소요산	●						●		●	●	●			●		●			●	●		●
소시호탕	●	●							●						●	●	●	●				
시호계지탕	●	●						●	●						●	●	●	●	●			
시호계지건강탕	●	●			●			●	●				●			건강						
억간산	●					●			●	●	●									●	●	

복진으로 시호제를 결정

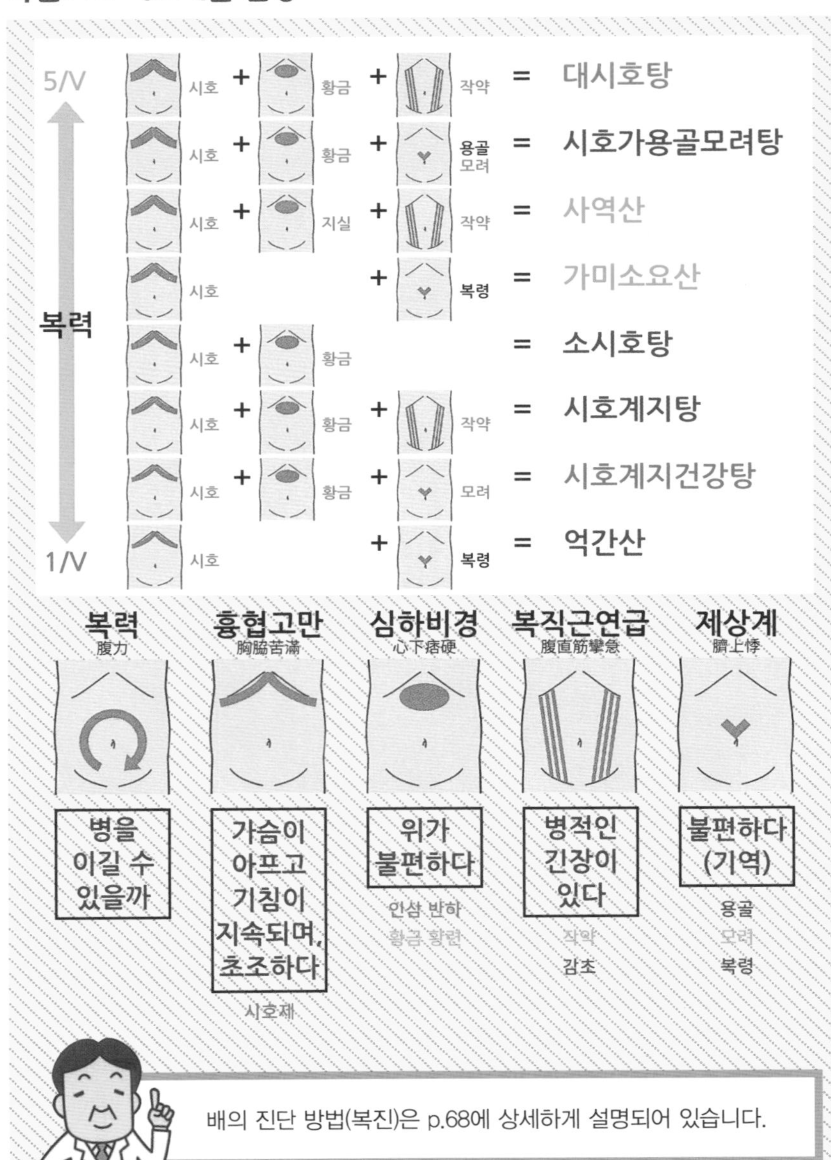
5/V
복력
1/V
시호 + 황금 + 작약 = 대시호탕
시호 + 황금 + 용골 모려 = 시호가용골모려탕
시호 + 지실 + 작약 = 사역산
시호 + 복령 = 가미소요산
시호 + 황금 = 소시호탕
시호 + 황금 + 작약 = 시호계지탕
시호 + 황금 + 모려 = 시호계지건강탕
시호 + 복령 = 억간산
복력
腹力
흉협고만
胸脇苦滿
심하비경
心下痞硬
복직근연급
腹直筋攣急
제상계
臍上悸
병을 이길 수 있을까
가슴이 아프고 기침이 지속되며, 초조하다
시호제
위가 불편하다
인삼 반하
황금 황련
병적인 긴장이 있다
작약
감초
불편하다 (기역)
용골
모려
복령
배의 진단 방법(복진)은 p.68에 상세하게 설명되어 있습니다.

초조의 정도별 한약

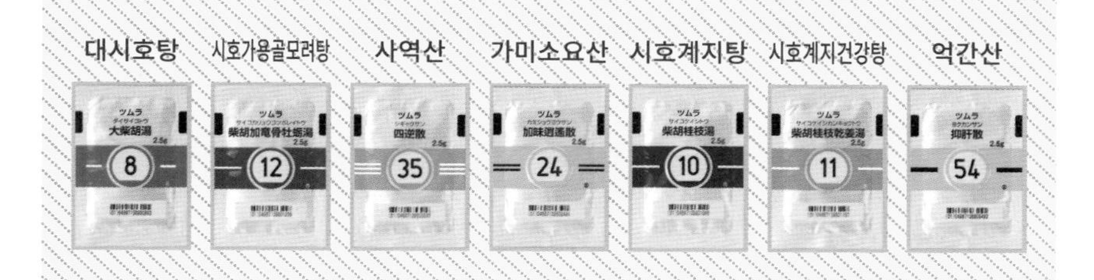

◀ ··· ▶

타인에 대한 공격성 항진 / 자기 방어력 저하

인관관계 조정약: 시호제

기력			
강	매우 무서운 사람	=	대시호탕
	폭발할듯한 사람	=	시호가용골모려탕
	손에 땀이 흠뻑	=	사역산
	밥을 넘기지 못하는	=	가미소요산
	위가 아픈	=	시호계지탕
	이직을 생각하는 사람	=	시호계지건강탕
약	치매, 야뇨증	=	억간산

초조, 분노 등의 감정을 표출하지 못하는 → 사역산
초조하다는 말은 하지만 분노는 자신으로 향하는 → 가미소요산
초조하다는 말은 못하고 분노는 타인으로 향하는 → **억간산**
위와 같이 구분하여 사용합니다.

3. 四診: 한방의 진찰법

시호제는 배의 소견을 참고하여 구분 사용한다.

사진-한방의 진찰법

1. **망진**[望診]: 시각으로 진찰
2. **문진**[聞診]: 청각과 후각으로 진찰
3. **문진**[問診]: 병력을 청취
4. **절진**[切診]: 촉진(맥진, 복진)

서양의학으로는 파악하지 못할 정보를
얻을 수 있거든요.

1. 망진: 정신상태, 피부색과 윤기, 체형, 태도, 혀

▼

2. 문진: 언어, 호흡, 창자소리, 대변 냄새, 소변 냄새, 입내, 몸내

▼

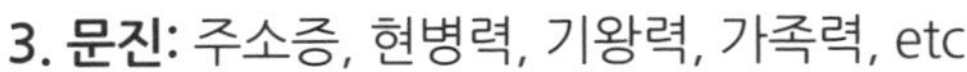

3. 문진: 주소증, 현병력, 기왕력, 가족력, etc

▼

4. 절진: 맥진, 복진

사진은 망 → 문 → 문 → 절의 순서로 진행합니다.

한방의 진찰법에는 **1. 망진**望診 **2. 문진**聞診 **3. 문진**問診 **4. 절진**切診의 네 가지가 있습니다. 네 가지 진찰법을 합해서 사진四診이라고 합니다.

1. 망진望診

환자의 ▷神(정신상태) ▷色(안색) ▷形(체형) ▷態(태도)를 보고 느끼면서 환자가 가진 고민을 기의 이상으로 진단합니다.

망진

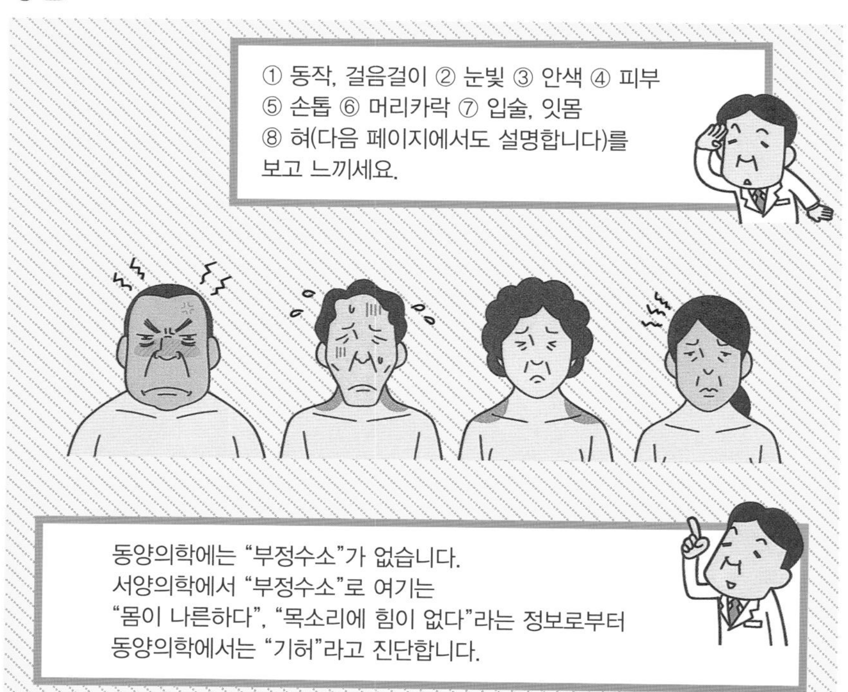

망진 ⑧: 설진-우선 한열부터

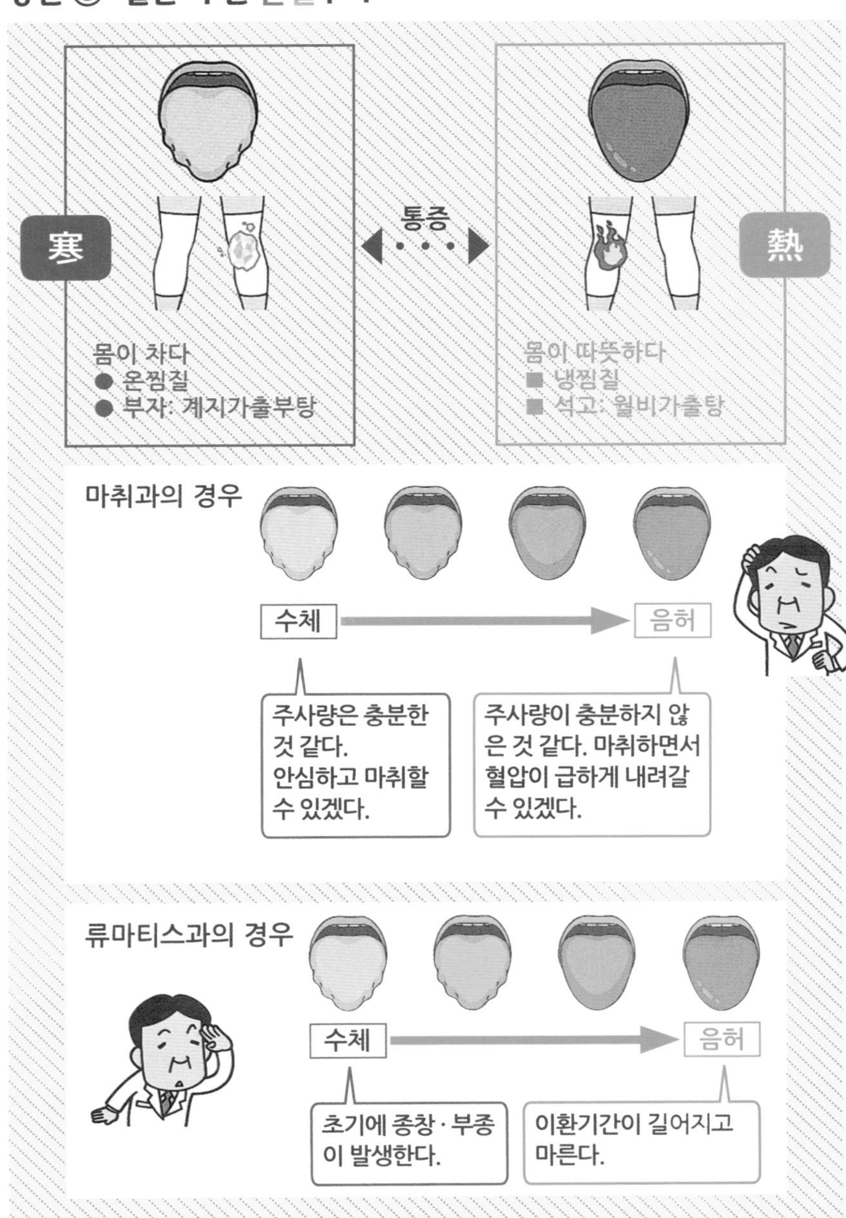

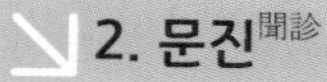

2. 문진聞診

환자의 목소리 크기와 몸의 냄새를 파악하고, 병을 뒤집을 만한 힘(=허실虛實)을 판단합니다.

문진聞診-환자 정보를 처리하는 방법

ex.

[정보] · 대퇴골 골절의 고령 환자

· 대변 냄새 강함

· 큰소리로 "#$%^&"를 외치고 있다.

서양의학으로 파악하는 방법

색 · 형상 · 양을 확인한다.
냄새는 강하고 비린내도 나지.

섬망이….
세레네이스를
쓸까?

동양의학으로 파악하는 방법

단단하게 굳은 똥이다!

목소리도 크니,
실증이다!

수술 가능!

대퇴골이 골절된 고령 환자가
섬망이 일어나면서 대변실금이 생겨서 큰 소리로 떠드는 상황에,
동양의학으로 문진해서 실증이면 병을 뒤집을 힘이 강하다는
것입니다.

3. 문진[問診]

식욕이 있는지, 잠은 잘 자는지 확인 후, 동양의학 문진 항목으로 "땀·목·추·어·대·소·생[4]"을 문진합니다. "땀·목·추·어·대·소"는 데라사와 가쓰토시 선생이 고안한 문진 항목으로, 여기에 "생"을 추가하여 동양의학적인 이상 유무를 확인합니다.

4. 절진[切診]

망진·문진·문진으로 생각이 떠오른 증[證]을 절진으로 뒷받침합니다. 절진은 이른바 촉진으로, 절진에는 맥을 보는 맥진[脈診]과 배를 보는 복진[腹診]이 있습니다.

망진·문진·문진으로 초조형 기울이라는 생각이 든다면, 배를 만져서 시호제를 결정합니다. 복진은 환자의 양 무릎을 펴고 누운 상태에서, 윗배에서부터 아랫배로 만져갑니다.

(1) 복력[腹力]

복직근 바깥에 있는 복횡근을 만지면서 병을 뒤집을 만한 힘을 복력 1/V ~5/V로 표현합니다.

(2) 심하비경[心下痞硬]

이른바 속이 답답하면서 속쓰림입니다. 심장 마사지를 하듯이 심하부에 손을 대었을 때 환자가 싫어한다면, 심하비경 양성입니다.

[4] 땀·목·추·어·대·소·생: 원문에는 アノサメ大小生(아노사메다이쇼세이)라고 되어 있고, 이를 우리말에 맞게 옮겼다. ア=땀, ノ=목, サ=추위, メ=어지러움, 大=대변, 小=소변, 生=생리를 가리킨다. 문진 항목 표 참조.

문진問診

환자 정보를 동양의학적인 개념으로 분류하여 진료부에 기재한다.

음陰 / 양陽 / 허虛 / 실實 / 한寒 / 열熱 / 표表 / 리裏
기허氣虛 / 기역氣逆 / 기울氣鬱 / 어혈瘀血 / 혈허血虛 / 수체水滯 / 음허陰虛
땀·목·추·어·대·소·생
설진 / 맥진 (한열寒熱·표리表裏·허실虛實) / 복진

▷ 맥의 빠르기 = 한열
맥박수>100의 빈맥
→삭맥數脈
열熱로 파악합니다.
맥박수<50의 서맥
→지맥遲脈
한寒으로 파악합니다.

▷ 맥의 부침 = 표리
가볍게 눌러도 느낀다
→부맥浮脈
표表로 파악합니다.
강하게 눌러서 비로소 느낀다
→침맥沈脈
리裏로 파악합니다.

▷ 맥의 세기 = 허실
강하게 눌러도 사라지지 않는다
→실맥實脈
실實로 파악합니다.
강하게 누르면 사라집니다.
→허맥虛脈
허虛로 파악합니다.

문진 항목 = 식욕 + 수면 + "땀·목·추·어·대·소·생"

땀	汗 (땀 흘리는 모양)	허실: 줄줄 흐르는 땀 → 허 끈적끈적한 땀 → 실
목	喉 (목이 마른지)	한열: 갈증으로 한겨울에도 맥주 → 열 냉증·목이 마르지 않다 → 한
추	寒氣 (춥지 않은가?)	기역: 손발바닥이 젖으면서 차다
어	眩暈 (어지러움, 현기증은 없는가?)	수체
대	大便 (변비나 설사는 없는가?)	변비 → 양명병·기울·어혈 물설사 → 음·허
소	小便 (소변의 진하기와 횟수는?)	진하다 → 실, 핍뇨 → 수체, 빈뇨 → 신허
생	生理 (월경 이상은 없는가?)	어혈: 생리통, 다크서클, 자색의 잇몸

환자가 호소하는 살아있는 언어 그대로 진료부에 기록하는 것이 포인트입니다.

절진, 복진 소견

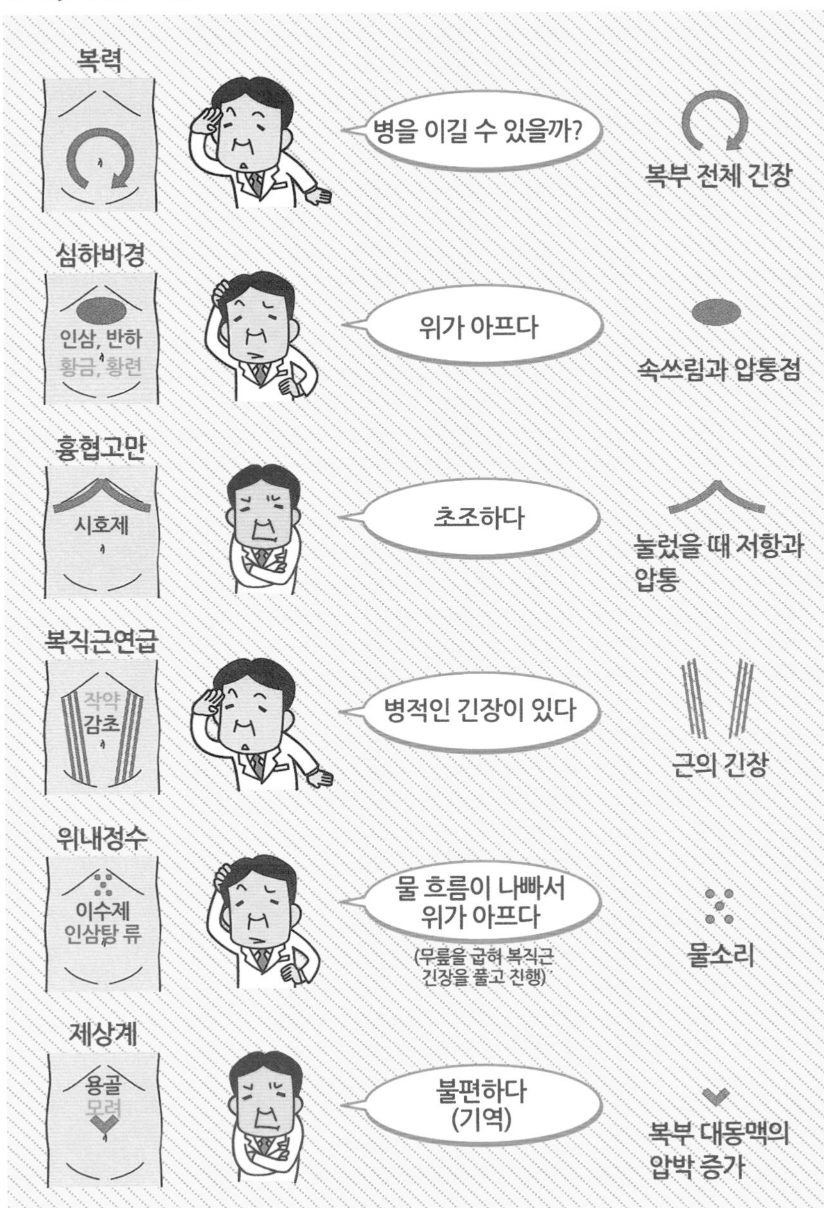
복력
병을 이길 수 있을까?
복부 전체 긴장
심하비경
인삼, 반하
황금, 황련
위가 아프다
속쓰림과 압통점
흉협고만
시호제
초조하다
눌렀을 때 저항과 압통
복직근연급
작약
감초
병적인 긴장이 있다
근의 긴장
위내정수
이수제
인삼탕 류
물 흐름이 나빠서 위가 아프다
(무릎을 굽혀 복직근 긴장을 풀고 진행)
물소리
제상계
용골
모려
불편하다 (기역)
복부 대동맥의 압박 증가

속쓰림을 개선하는 **인삼**, **반하**, 황금, 황련의 사용 목표가 됩니다.

(3) 흉협고만胸脇苦滿

늑골궁을 지압하듯이 촉진해서 환자가 아프다고 싫어하는 경우는 흉협고만이라고 봅니다. 초조형 기울이 심한 경우, 흉협고만도 강하게 드러납니다. 흉협고만은 시호의 사용 목표가 됩니다.

(4) 복직근연급腹直筋攣急

정신적인 긴장 상태가 지속되면, 복직근 긴장이 강해집니다. 복직근연급은 작약(**작약감초탕**으로 익숙합니다)의 사용 목표가 됩니다.

(5) 위내정수胃內停水

위 부위를 가볍게 노크하듯이 두드려 보면, 식사를 하고 충분한 시간이 경과한 뒤에도 줄곧 퐁당퐁당 소리가 나는 경우가 있습니다. 이를 위내정수라고 하는데, 위 안에 물이 모인 상태로써 소화기능이 저하된 상태로 받아들입니다. 인삼탕류나 이수제의 적응증이 됩니다.

또한, 한방 복진은 환자의 무릎을 펴고 진행하는 것이 기본이지만, 위내정수를 살필 때는 환자에게 무릎을 굽혀 복직근의 긴장을 풀고 나서 진행을 합니다.

(6) 제상계臍上悸

제상계와 제하계臍下悸는 배꼽 주변의 박동으로, 결국 복부 대동맥의 박동을 반영하고 있습니다. 정신적인 불안정으로 폭발할 것 같은 환자는 복부 대동맥 박동이 강해집니다. 제상계나 제하계는 **용골**과 모려의 사용 목표가 됩니다. 항불안제로써 **용골**이나 모려 등의 칼슘 제제가 효과있다는 것을 옛 사람은 알고 있었습니다.

(1) ~ (6)의 복진 소견으로 시호제를 결정합니다.

4. 시호제 추천

대시호탕大柴胡湯

여러분 주위에 너무 조급해서 외래 대기실에서 진료 순번을 기다리지 않고, 화를 내면서 진료실 문을 열고 들어오는 환자가 있지 않습니까? 대시호탕은 성격이 불 같아서 직원을 거칠게 대하는 환자에게 마음과 몸의 기세를 누그러뜨리고 평온해지도록 하는 방제입니다. 미국 대통령 트럼프 같은 아저씨에게 사용하고 싶은 방제

매우 무서운 사람에게

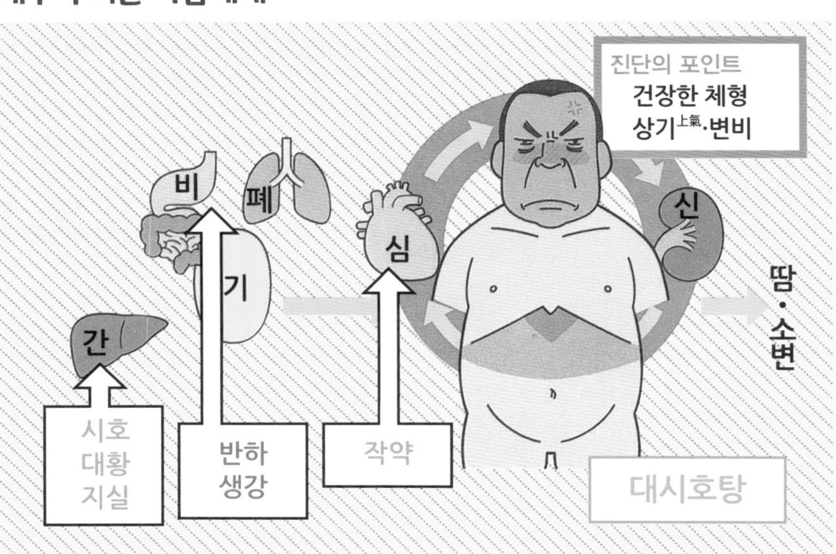

입니다. 강한 흉협고만胸脇苦滿과 변비가 처방 목표가 됩니다.

시호가용골모려탕柴胡加龍骨牡蠣湯

패닉이 일어나서 폭발할 듯한 사람의 불안을 제거하는 방제입니다. 제상계가 처방의 목표입니다. 제상계나 제하계는 배꼽 주변의 박동으로 결국 복부 대동맥의 박동을 반영합니다. 정신이 불안정한 환자는 복부 대동맥의 박동이 강해집니다. 시호가용골모려탕에 포함된 칼슘 제제(용골+모려)가 항불안제로, 초초나 기분 침체를 개선합니다.

폭발할 듯한 사람

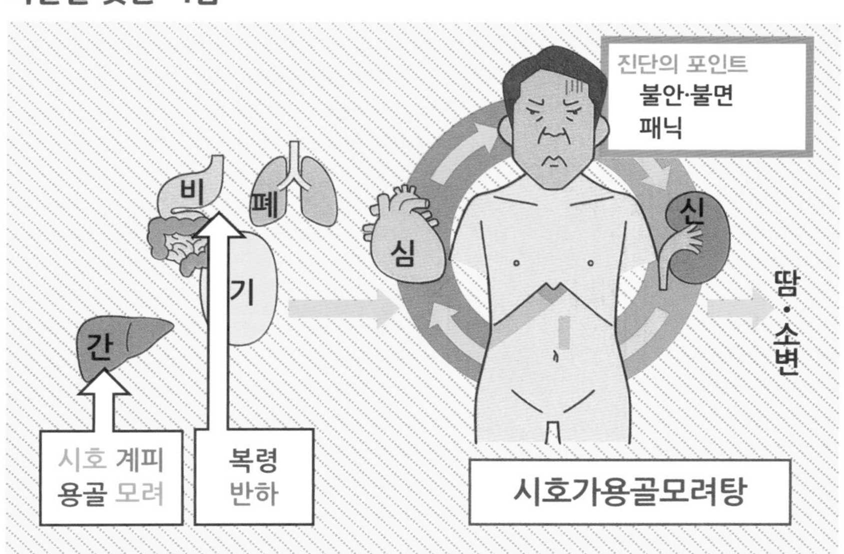

사역산四逆散

요즘 어린이와 청소년들처럼 쿨하면서 침착해 보이지만, 스트레스를 표출하지 못하고 안으로 감추는 타입은 사역산이 적응증이 됩니다. 손바닥 다한증으로 흉강경하 교감신경 절제술을 받은 후에도 개선되지 않은 환자에게도 시도해 보세요. 기분 나쁜 일이 있으면 콜라나 맥주 등의 음료를 찾지만, 사역산을 복용하면 정말 청량음료 같은 맛이 납니다.

청량음료 같은 맛입니다

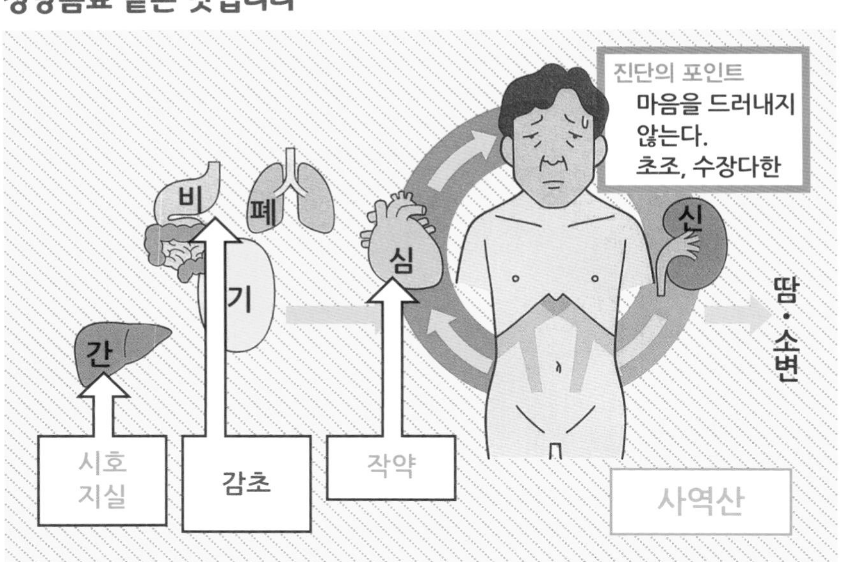

가미소요산加味逍遙散

자신의 증상을 조목조목 메모해서 오는 이른바 메모광 아저씨 환자, 진찰중의 대화를 디지털 기기에 녹음하는 신경질적인 환자, 자신의 호소를 문서화하는 환자, 초조와 분노의 칼끝이 가족으로 향하는 환자는 가미소요산이 적응증입니다. 꼼꼼하면서 걱정이 많은 나머지 식사를 제대로 못하는 환자가 걱정이 줄어들면서 식욕을 개선합니다.

간을 억누르는 비를 지킨다

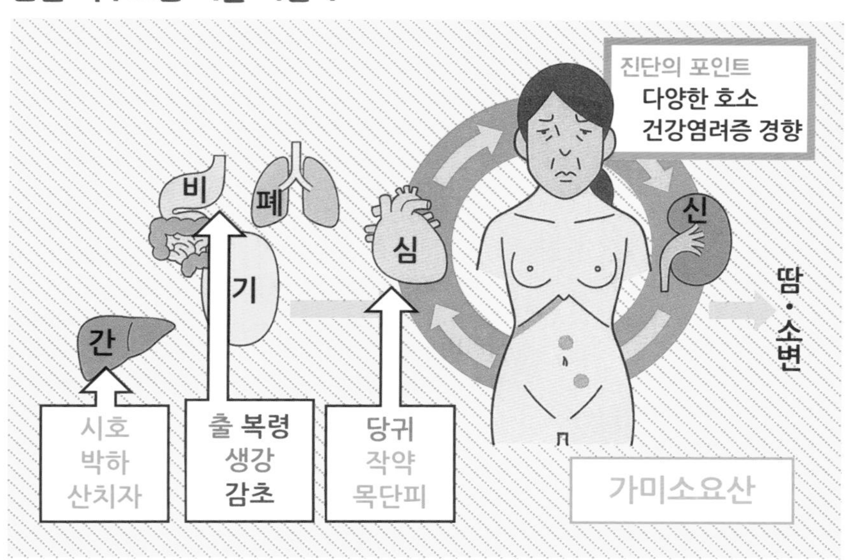

시호계지탕柴胡桂枝湯

초조형 기울의 치료에 한정되지 않고, 어떤 한약을 처방해야 할지 잘 떠오르지 않을 때에 우선 **시호계지탕**을 2주간 처방해서 시간 벌이를 합니다. 환자의 한열이나 허실을 신경쓰지 않고 처방할 수 있는 방제입니다.

곤란할 때는

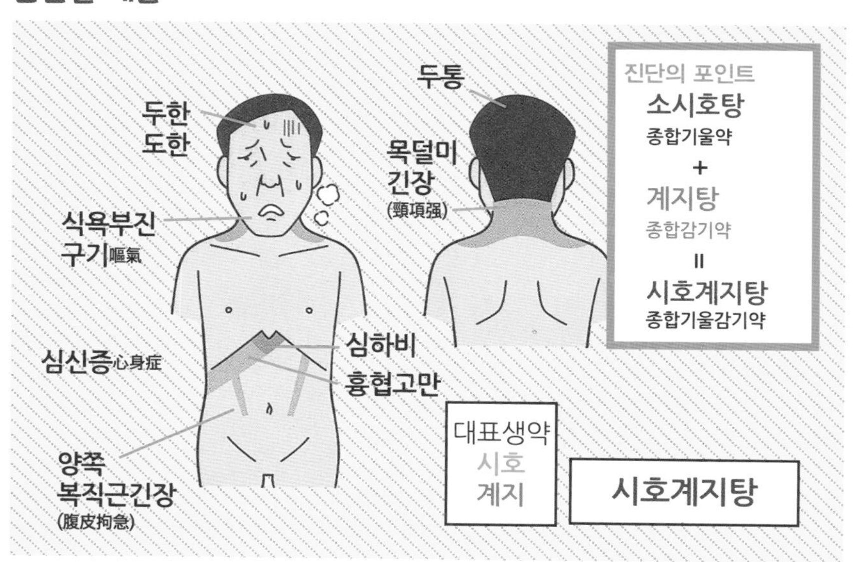

column

시호계지탕 = 응용 범위가 폭넓은 종합감기약+기울약의 첫 번째 선택

시호계지탕은 **계지탕**과 **소시호탕**을 합한 방제입니다. **계지탕**은 감기 초기의 표한表寒에 대응하고, **소시호탕**은 감기가 악화되어 반표반리半表半裏의 열熱에 대응하며, **시호계지탕**은 표한이나 반표반리의 열증상이 혼재한 단계에 대응합니다. 감기 초기부터 3~4일까지의 "오한惡寒이 남아 있으면서 위가 아프다", "시판 감기약을 먹은 후에도 컨디션이 나쁘다"며 많은 환자들이 의료 기관에 진료를 받으러 오는 시점이 **시호계지탕**을 사용할 때입니다.

감기에 **시호계지탕**을 처방한 환자에게 "이 한약을 복용하면 위통이 없어지고, 초초함도 낫습니다. 감기가 나은 후에도 복용을 지속하세요"라고 해서 감사 인사를 받은 경우도 많습니다. 감기나 기울 환자가 왔을 때는 꼭 사용해 보세요.

주의사항으로는 몸을 건조하게 하는 작용을 시호제가 전반적으로 가지고 있으므로, "혀가 건조하지 않을 때". 이것만 기억하고 있으면 됩니다.

시호계지건강탕柴胡桂枝乾薑湯

시호계지건강탕에 들어 있는 괄루근이 건조한 느낌을 윤택하게 해서 마음을 차분하게 합니다. 시호제는 몸을 차게 하면서 마르게 하는 작용이 강하지만, 시호계지건강탕은 예외로, 차가워진 몸과 마음을 건강으로 따뜻하게 하고, 괄루근으로 윤택하게 하는 작용이 있습니다. 평소 수줍음을 많이 타고, 스트레스가 있어도 말로 표현하지 못하며, 답답한 성격에다가 이직 등의 이탈을 생각할 때, 그런 상황을 염두에 두시면 됩니다.

신경질적인 사람

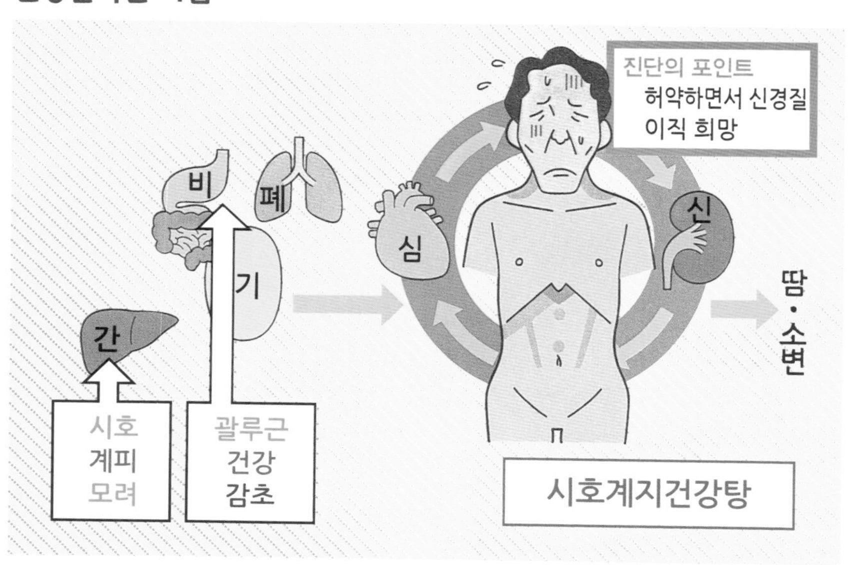

억간산抑肝散

근래 치매 주변 증상을 개선하는 방제로 알려지고 있는 것이 **억간산**입니다. 시호제 라인업 안에, 가장 허증에 적용하는 방제로 분류합니다. 간을 억제하는 시호, 조등구가 들어 있지만, 심을 보조하는 당귀와 천궁도 들어 있어서, 간을 무조건 억제하는 '억'간산이 아니라, 비와 심을 보강하면서 간을 돕는 '보비보심억간산補脾補心抑肝散'이라 부를 수 있는 방제입니다.

간에 혈액이 잘 돌게 한다.

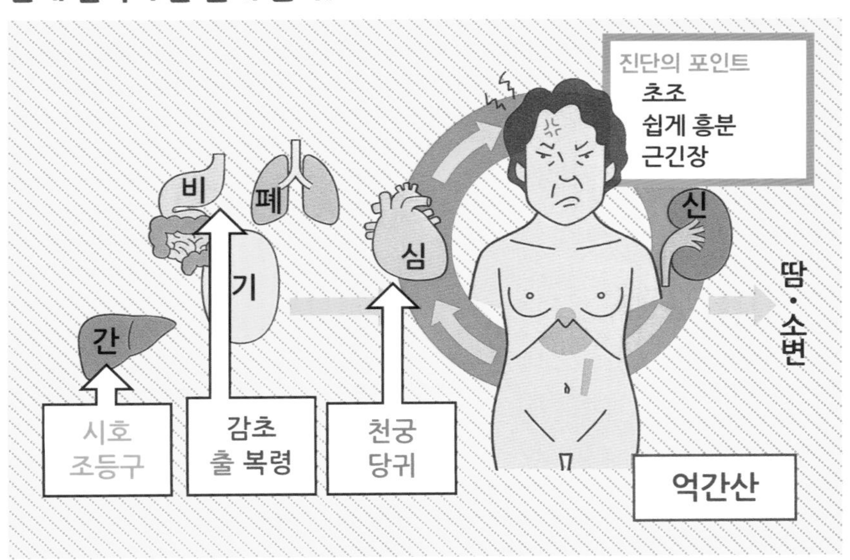

columm

현대사회는 글로벌리즘 사회, 기울 사회

최근 글로벌 경제라는 이름으로, 본래 약자의 편이 없는 의료·교육·사법·행정 같은 제도의 '구조개혁, 규제완화'가 시행되고 있습니다. 사람들이 '자립'하고 '자기실현'을 목표로 '자기결정'을 내리고, 그 성패에 대해서는 모두 '자기책임'을 지고, 상호부조·상호지원은 필요로 하지 않습니다. 늙거나 병들거나 다치거나, 교육을 받지 못하고 돈을 벌지 못하면 인간으로서 필요한 최소의 서비스도 받지 못하도록 되더라도 '자기책임'으로 여겨집니다. 아동학대, 각성제나 약물남용으로 인한 상해 사건 등이 끊이지 않습니다. 삶을 고통(기울)으로 보내는 사람의 상처입은 마음을 한방으로 치료할 수 없을까? 나의 연구 주제에도 있습니다.

미야자와 겐지[5]의 「비에도 지지 않고雨ニモマケズ」라는 시가 있습니다.

비에도 지지 않고
바람에도 지지 않는
(중략)
동쪽에 병든 아이들이 있으면
가서 간호해 주고
서쪽에 지친 부모 있으면

[5] 미야자와 겐지(宮澤賢治, 1896~1933): 일본의 문인이자 교육자, 에스페란티스토이다.

가서 그 벼 뭉치를 들고
남쪽에 죽을 것 같은 사람 있으면
가서 무서워하지 않아도 된다고
북쪽에 싸움이나 소송이 있으면
시시하니 그만두라고 말하고
(중략)
그러한 것이
나는 되고 싶다

「비에도 지지 않고」를 제 마음대로 한방풍으로 읽고 해석하면

비에도 지지 않고
바람에도 지지 않는
동쪽에 병든 아이들이 있으면
가서 시호계지탕을 먹이고
서쪽에 지친 부모 있으면
가서 가미소요산을 먹이고
남쪽에 죽을 것 같은 사람 있으면
가서 복령사역탕(p.104 에 상세)을 먹이고,
북쪽에 싸움이나 소송이 있으면
뭐 괜찮으니까 당신은 대시호탕
당신은 시호계지건강탕을 먹이고
그런 한의사가
나는 되고 싶다.

라고나 할까요?

chapter. 4

외래, 병동, 수술실에서도 한약을 잘 쓰고 있습니다

1. 수술마취에도 한방

한방을 공부하면 실제 임상에서의 역할이 많아 진료의 폭이 넓어집니다. 한방을 배워 도달할 목표는 단순히 한약 사용 방법을 외우는 데에 그치지 않고, 서양의학과 동양의학 양 쪽의 방식을 사용하면서 환자를 넓은 시야로 진료할 수 있게 되는 것입니다.

수술 대기 환자를 한방의학적으로 보면

▷ 골절부에서 출혈, 수술중 출혈 → **혈허**血虛
▷ 힘들다, 나른하다 → **기허**氣虛
▷ 출혈을 수반하는 탈수, 침상안정으로 수분 섭취 부족 → **음허**陰虛
▷ 국소 통증, 종창, 열감 → **어혈**瘀血
▷ 환경 변화, 스트레스, 야간 불면 → **기울**氣鬱
▷ 흡수열, 수술에 따른 침습 → **이열**裏熱

수술 대기 환자의 진단

예를 들어 대퇴골 골절 수술을 기다리며 침상에 누워 있는 환자를 한방의학으로 진단하면, 모든 부조화가 일어나고 있는 것으로 나타납니다.

설진으로 순환 혈장량을 알다

출혈에 수반하는 탈수나 침상안정으로 수분 섭취가 부족하여 음허陰虛가 진행되면, 처음에 촉촉하던 혀가 말라서 붉은 색을 띄게 됩니다. 혀가 촉촉하면 전신 마취를 해도 활력징후에 이상이 생기는

마취과에서 혀로 순환혈장량을 예측

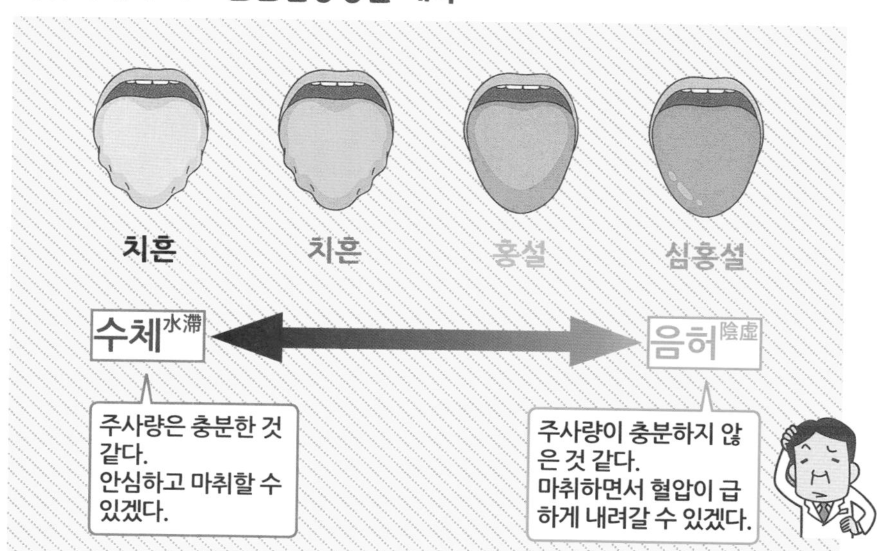

경우가 적지만, 혀가 마른 경우에 전신 마취를 하면 혈압이 50 mmHg 정도 급하게 내려가는 일도 일어납니다.

혀를 겨우 몇 초만 살피는 것만으로도, 뇌나트륨이뇨펩티드BNP, Brain natriuretic peptide나 심장초음파검사로 위대정맥IVC, Inferior vena cava의 지름을 측정하는 것보다 합리적인 순환혈장량 평가 방법이 될 수 있습니다. "수술 전 평가나 마취를 할 때, 순환혈장량을 예측하기 위해 혀를 살피세요"라고 쓰여진 마취과 교과서를 본 적은 없습니다만, 나는 마취과를 거쳐가는 수련의에게 혀를 살피라고 평소에 말하고 있습니다.

2. 정형외과에서도 한방

한열로 구분 사용

서양의학 병명으로는 같은 무릎 퇴행성 관절염이지만, 한방에서는 한열寒熱에 따라 방제를 구분하여 사용합니다. 혀가 붉으면서 무릎에 열이 나고 아픈 환자에게는 월비가출탕, 혀가 희면서 무릎이 차갑고 아픈 환자에게는 계지가출부탕, 무릎의 한열이 중간일

무릎의 통증은 혀를 보고 무릎을 만져서

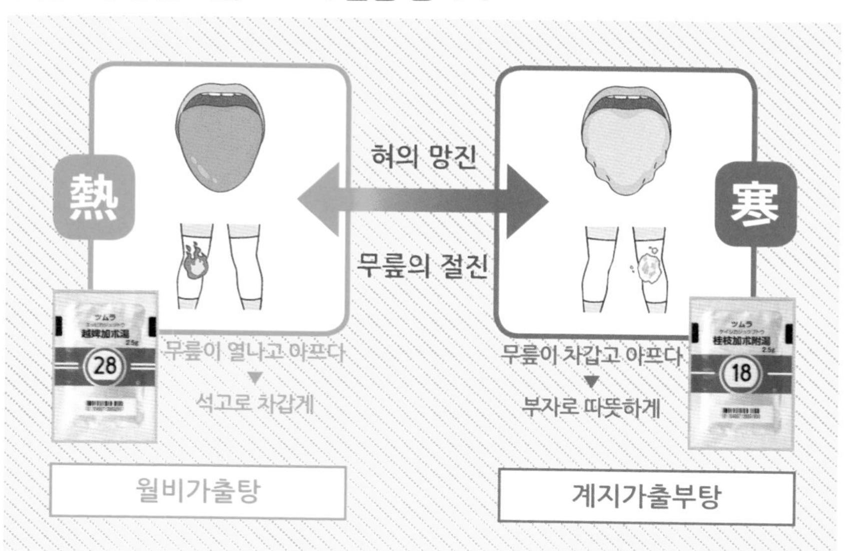

때는 **방기황기탕**을 사용합니다.

월비가출탕을 구성하는 생약, **석고**와 **마황**이 열나면서 부은 무릎 관절염을 서늘하게 하면서 체표면(무릎 관절)에 쌓인 물을 체내(요로)로부터 소변을 통해 배설합니다.

계지가출부탕을 구성하는 생약, **계지**와 **부자**가 차가워진 표면(무릎 관절)을 따뜻하게 하면서 통증을 잡습니다.

방기황기탕은 "물만 마셔도 살이 찝니다"라는 환자에게 처방합니다.

한 겨울에도 미니스커트나 반바지를 입고 나가서, 차거나 단 음식을 먹으면서 무릎 통증이 있다는 사람은 한방치료보다도 생활지도(미니스커트, 반바지, 차거나 단 음식 금지)가 우선입니다.

정형외과의사가 한방을 공부하면서

부은 관절이 가라앉기를 기다리면서 다음주 수술을 하기로 한 팔다리 골절 환자에게 정형외과 의사는 보통,

▷ 록소닌®(록소프로펜), 하루 세 번

▷ 무코스타®(레바미피드), 하루 세 번

▷ 단젠®(세라티오펩티다제), 하루 세 번: 이전에 존재한 처방. 위약 비교 시험으로 부종을 줄이는 효과에 유의차가 알려져 판매 중지되었다.

무릎이 뜨겁고 아프다

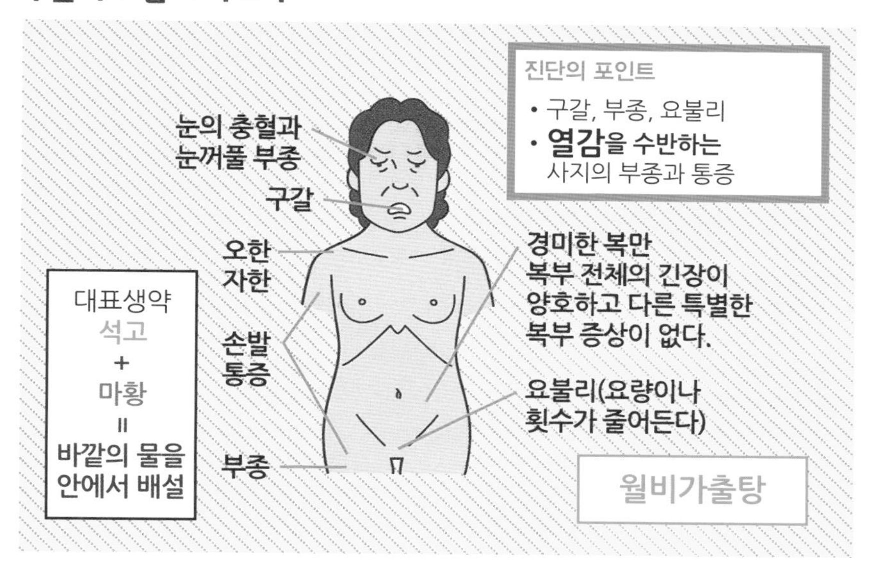

무릎이 차갑고 아프다

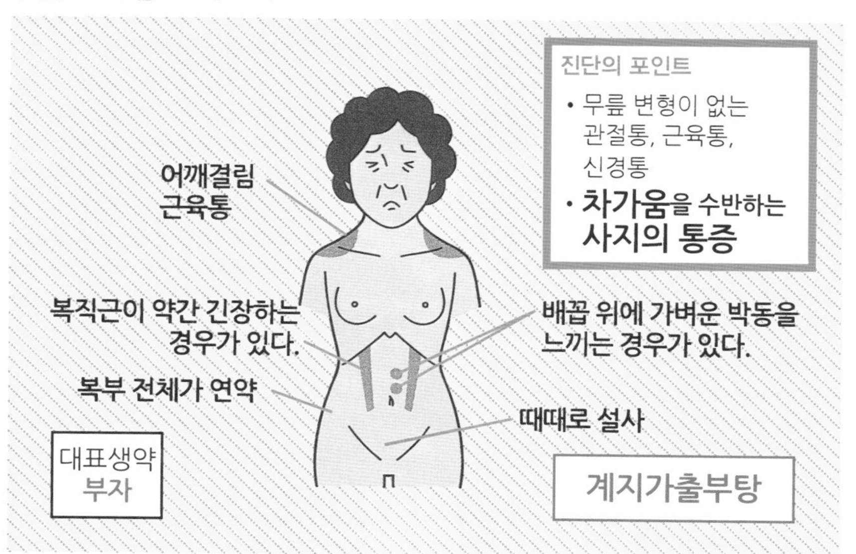

무릎의 한열이 중간

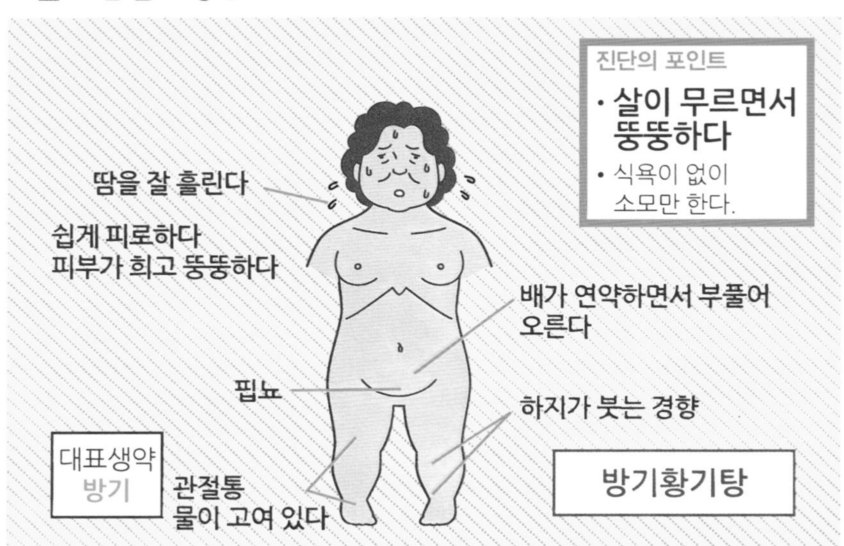

팔다리 통증의 이수제

무릎의 한열	작용	진통				진통		팔다리 통증	진통			
		냉각(冷却)		구수		가온(加溫)			위장약			
	이수제 \ 생약	석고	마황	방기	황기	계지	부자	출	생강	대조	감초	작약
열	월비가출탕	●	●					●	●	●	●	
중	방기황기탕			●	●			●	●	●	●	
한	계지가출부탕					●	●	●	●	●	●	●

p.26와 같은 표지만, 복습합시다.
월비가출탕 = 석고+마황: 차갑게 하면서 말린다.
방기황기탕 = 방기+황기: 차갑게도 따뜻하게도 하면서 말린다.
계지가출부탕 = 계지+부자: 따뜻하게 하면서 말린다.

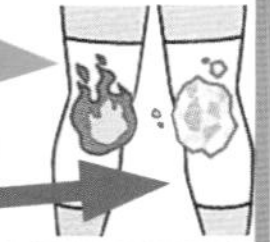

등을 처방하겠지만, 한방을 배운 정형외과 의사라면

> ▷ 월비가출탕, 아침 저녁
> ▷ 록소닌®, 아플 때

라고 합니다.

월비가출탕 안에는 위장약 성분이 들어 있어서, 무코스타®가 필요하지 않습니다. 또, 월비가출탕의 이수 작용으로 부종을 잡으므로 "수술일에 부목을 빼보니, 피부에 수포가 생겨서 수술을 연기…"하는 수고를 피할 수 있습니다.

팔다리 통증의 이수제를 양약에 배열하면

월비가출탕 = 록소닌® + 라식스® + 무코스타®

방기황기탕 = 라식스® + 알닥톤® + 무코스타®

계지가출부탕 = 온찜질 + 소세곤® + 무코스타®

3. 섬망에 한방

중의학과 한방의학

섬망Delirium에 대한 한방을 이해하기 위해 더 까다로운 이야기지만 중의학中醫學을 소개합니다.

원래 '한방의학漢方醫學(=한나라에서 온 의학)'은 일본에서 부르는 방법입니다. 중국에서는 자국의 전통의학을 한방의학이라 부르지

음양허실=한방의학에서는

양: 급성기 (태양병 → 소양병 → 양명병)
병에 대한 저항력 발군(실實) = 투병 반응을 보조
<방제> · 병을 몰아낸다(마황, 계지, 대황)
· 차갑게 한다(석고, 시호, NSAIDs)

음: 만성기 (태음병 → 소음병 → 궐음병)
병에 대한 저항력 부족(허虛) = 체력 회복을 우선
<방제> · 에너지 보급(인삼, 작약, 교이)
· 따뜻하게 한다(당귀, 부자, 건강)

한방의학에서 "음양"을 병의 단계로 생각하고,
다시 급성기(양)와 만성기(음)를
각 세 가지 단계로 나눕니다.
태양병→소양병→양명병→태음병→소음병→궐음병으로
합계 여섯 가지 단계를 육병위六病位라고 합니다.

않고 '중의학'이라고 합니다.

중의학과 일본에서 독자 발전한 한방의학은 "음양허실陰陽虛實"에 관해서 생각이 다릅니다. 일본 한방은 음양을 병의 단계를 고려하고, 허실을 병을 뒤집을 수 있는 힘으로 생각합니다.

음양허실=중의학에서는

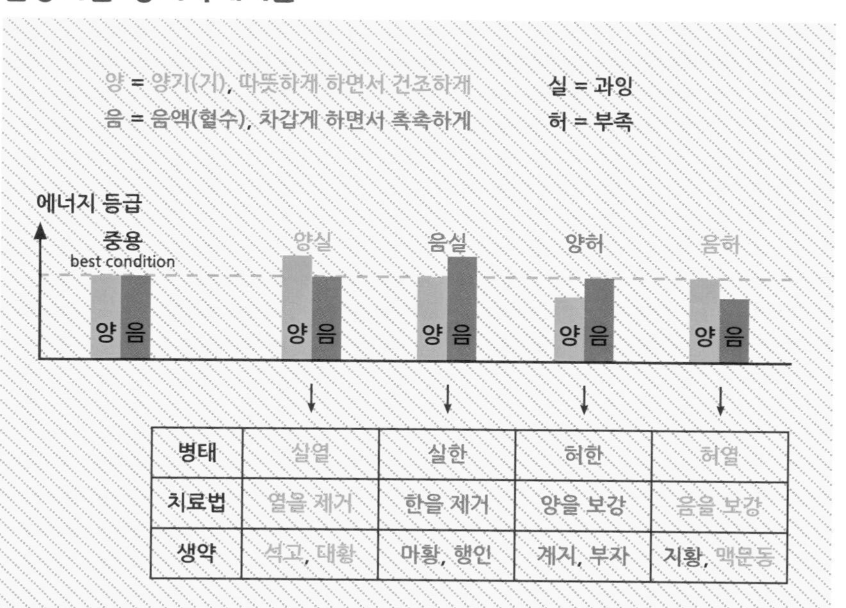

병태	실열	실한	허한	허열
치료법	열을 제거	한을 제거	양을 보강	음을 보강
생약	석고, 대황	마황, 행인	계지, 부자	지황, 맥문동

"양"(따뜻하게 하면서 건조하는 에너지) 또는
"음"(차갑게 하면서 촉촉하게 하는 에너지)이
최상의 상태보다도 과잉인가, 부족인가?
과잉이면 그것을 제거하고, 부족하면 보강하는 것이
중의학의 사고방식입니다.

중의학에서는 음양허실을 에너지 균형으로 보고, 몸속을 따뜻하게 하려는 에너지와 차갑게 하려는 에너지가 과부족 없이 흐르고 있는 상태를 중용(中庸, best condition)이라고 생각합니다.

독자 여러분은 여기서부터 여러 가지 동양의학 교과서를 읽어 보겠다고 생각하지만, 이 교과서가 중의학 입장에서 쓰여진 것인지, 한방의학의 입장에서 쓰여진 것인지 주의를 기울이세요.

이 교과서는 중의학일까, 한방의학일까?

⑤ ② 중의학 ← 음양허실 → ① ③ ④ 한방의학

① **그림으로 보는 화한진료학** 絵でみる和漢診療学
② **복증도해 한방상용처방해설** 腹症図解漢方常用処方解説
③ **닥터 아사오카의 제대로 이해하는 한약** Dr.浅岡の本当にわかる漢方薬
④ **3초 만에 이해하는 한방 규칙** 3秒でわかる漢方ルール
⑤ **침구요법기술 가이드 Ⅰ·Ⅱ** 鍼灸療法技術ガイドⅠ·Ⅱ

① ~ ⑤는 모두 추천 교과서입니다.
여기서는 제목만으로 소개하였지만,
이것으로 공부해 볼 생각이 있는 선생님은
p.108을 참조하세요.

섬망의 완화에 세레네이스는 아니다

정신 흥분 상태에 있는 조현병Schizophrenia의 양성증과 고령자의 섬망. 두 환자 모두 얼굴이 붉고 패닉이 일어나지만, 중의학적 진단을 하면 아래와 같고, 치료 방침이 전부 다릅니다.

조현병의 양성 증상	증: 양실 치료: 과잉된 양 에너지를 제거
고령자의 섬망	증: 음허 치료: 부족한 음 에너지를 보강

양 에너지가 과잉인 조현병의 양성 증상에는 양실陽實로 과잉인 양을 깎아내리는 세레네이스®(할로페리돌)가 잘 듣습니다.

그런데 음허陰虛인 고령자의 섬망에 세레네이스®를 사용하면 음 부족에다 양 부족에도 빠져서 환자에게 중요한 생명 에너지를 잃어버립니다. 흡인폐렴, 근력저하로 넘어짐·골절로 인해 사망 위험이 높아집니다.

고령 섬망 환자의 몸과 마음을 윤택하게 하면서 정신적 안정을 회복하는 방제로 **청심연자음**을 추천합니다.

드러나는 행동은 비슷하지만

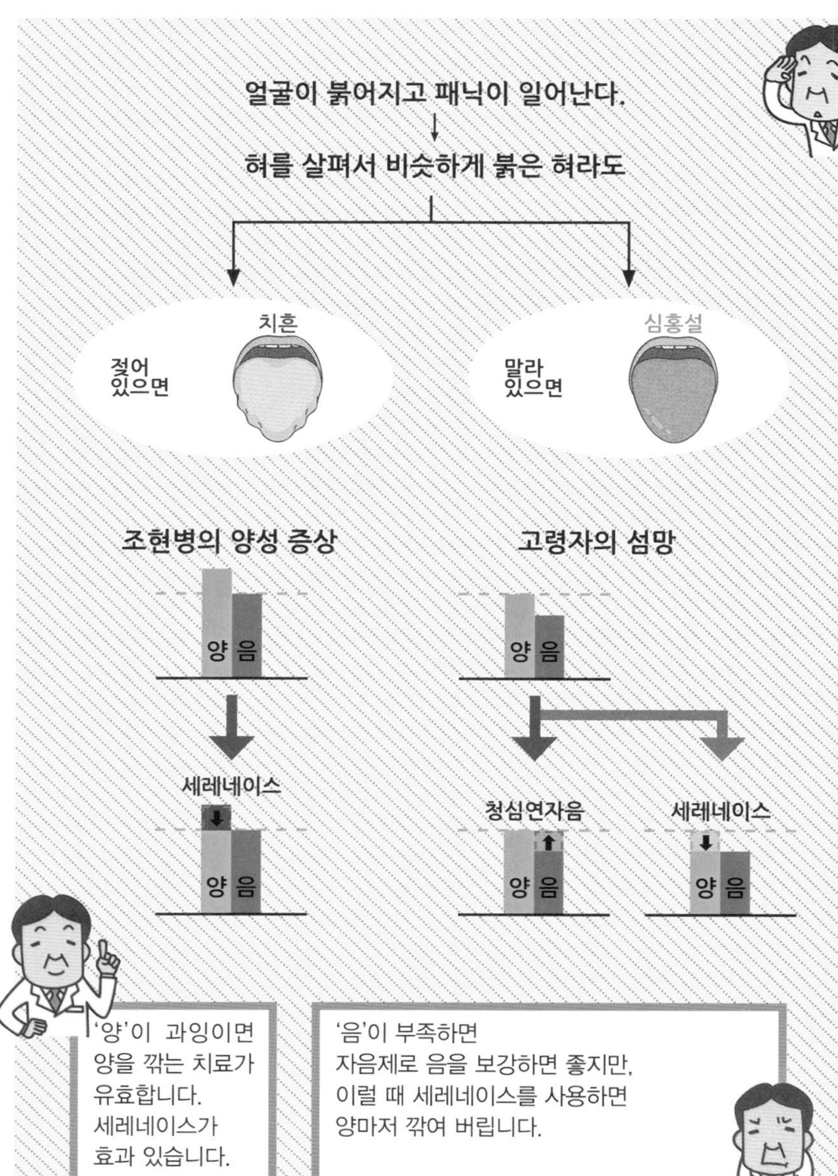

청심연자음 = 경구수액제 + 라식스 + 세레네이스

청심연자음은 맥문동·인삼 같은 자음 작용에다 차전자 같은 이수 작용, 복령·연육 같은 심을 맑게 하는 진정 작용도 있어서, 대퇴골 골절로 침상에 있는 고령자가 탈수 + 핍뇨 + 요로감염 + 섬망을 보이는 케이스에 특히 잘 듣습니다.

참고로 일본노년의학회 「고령자의 안전한 약물요법 가이드 라인高齢者の安全な薬物療法ガイドライン」에도 추천하고 있지만, 목에서 잘못 넘김을 예방하기 위한 방제로는 반하후박탕을, 넘어짐을 예방하도록 근육이 약해지지 않게 하는 방제로는 보중익기탕을 추천합니다.

자음제 ≒ OS-1

작용	자음									건조						진정(鎭靜)
	청열(清熱)				보기(補氣)				보혈(補血)	청열(清熱)			기역(氣逆)		지한(止汗)	
										실(實)	허열(虛熱)					
생약 / 자음제	맥문동	석고	지모	천문동	인삼	갱미	대조	감초	당귀·지황·작약	황금	황백	지골피·차전자	반하	출·진피	황기	복령·연육
맥문동탕	●				●	●	●	●					●			
백호가인삼탕		●	●		●	●		●								
청심연자음	●				●			●		●		●			●	●
자음강화탕	●		●	●				●	●		●			●		

맥문동탕 = OS-1 + 메디콘®

백호가인삼탕 = OS-1 + 얼음주머니

청심연자음 = OS-1 + 라식스® + 세레네이스®

자음강화탕 = OS-1 + 라식스® + 록소닌®

이것도 p.36에서 나오지만 다시 한 번.
자음제는 몸의 갈증을 적셔준는 방제지만, 정맥수액이나
경구수액제(OS-1)를 떠올리시면 좋습니다.

구성 생약으로 인삼, 갱미, 지황이 OS-1이라고
할 수 있습니다. 갱미는 쌀입니다.

4. 암 치료기의 한약

삼기제: 슈퍼 보제

그동안의 암 치료에서 한약의 사용 방향은 항암제 부작용 대책이었는데, 최근에 십전대보탕의 연명 효과가 주목받고 있습니다.

암 치료에서 한약의 근거

日本東洋医学会EBM特別委員会. 漢方治療エビデンスレポート. 第2版: RCTを主にして. 中間報告2007. ver1.1. 2008
日本東洋医学会EBM特別委員会. 漢方治療エビデンスレポート2010:345のRCT. 2010
日本東洋医学会EBM特別委員会. 漢方治療エビデンスレポートAppendix 2011. 2011

호소·합병증 등	방제
장폐색(유착장애), 수술후 장관 운동 마비	대건중탕
림프 부종	우차신기환
위암 수술 후 역류성 식도염	육군자탕
항암제(염산 이리노테칸)로 인한 설사	반하사심탕
항암제(파클리탁셀)로 인한 근육통·관절통	작약감초탕
진행 유방암 화학요법 + 호르몬 요법의 병용에 의한 생존률 개선	십전대보탕
간염 바이러스로 발생한 간경화에 대한 간세포암 예방 효과	
진행 위암 수술후 보조 화학요법의 5-FU 경구제 병용에 의한 생존률 개선	

암 환자는 병 때문에 몸과 마음이 모두 너덜너덜해졌습니다. 암 환자에게는 보강하는 치료가 필요합니다만,

▷ **인삼**(고려인삼)으로 에너지를 보충,
▷ **황기**로 몸의 상처를 회복시키면서, 에너지가 새는 것을 방지.

하는 전략이 필요합니다. **인삼** + **황기** = 삼기제蔘芪劑는 슈퍼 보제補劑라고 불립니다. **인삼** + **황기**의 '삼기제'에는 **십전대보탕**, **인삼양영탕**, **가미귀비탕**, **보중익기탕**, **청서익기탕**이 있습니다.

암 환자의 기혈수

암 환자는 기혈수氣血水 모두 에너지가 부족합니다.

혈허血虛는 몸의 모든 곳에 피가 다니지 않는 병태입니다. 혈허의 증상은 '몸이 나른하다', '목소리에 힘이 없다' 등의 증상이 눈에 보이지 않는 기허氣虛와 달리, 피부건조나 안색불량 등의 눈에 보이는 것이 주증상입니다.

기의 부족에 대해서는 p.43에서, 수의 이상에 대해서는 p.30을 참조하세요.

삼기제는 슈퍼 보제

암환자 = 기허 + 혈허 + 기울

작용	보기補氣			표온表溫		보혈補血			이기理氣			
	사군자탕			욕창		사물탕						
암환자 방제 \ 생약	복령·감초	출·인삼	생강·대조	황기	계피	지황·작약	당귀	천궁	오미자·진피	원지	용안육·목향·산조인	시호·산치자
십전대보탕	●	●		●	●	●	●	●				
인삼양영탕	●	●		●	●	●	●		●	●		
가미귀비탕	●	●	●	●			●			●	●	●

혈허라면 사물탕

혈허血虛를 개선하는 방제는 **지황**, **작약**, **당귀**, **천궁** 네 가지 생약으로 구성된 **사물탕**이 기본 골격이 됩니다. 혈이 흐르지 않는 피부를 **지황**으로 윤택하게, 혈이 흐르지 않는 근육의 혈류를 **작약**으로 개선하며, 혈이 흐르지 않는 하복부의 혈류를 **당귀**로 개선하고, 혈이 흐르지 않는 머리의 혈류를 **천궁**으로 개선합니다.

또 암 환자에게 기와 혈을 보강하면서 기울도 치료해야 할 필요가 있는 경우가 있습니다. 삼기제로 기허+혈허+기울에 대응하는 방제로는 **십전대보탕**, **인삼양영탕**, **가미귀비탕**이 있습니다. 사용을 구분해 보면 횡격막보다 아래의 암(위암, 간암 등)은 **십전대보탕**, 횡격막보다 위의 암(폐암 등)은 **인삼양영탕**이 좋다고 합니다. 보혈제인 지황을 복용하기 어렵다는 암 환자에게는 **가미귀비탕**을 추천합니다.

혈허血虛의 진단 기준(데라사와 스코어)

寺澤捷年, 絵でみる和漢診療学, 東京, 医学書院, 1996, p.42.

자각증상	스코어	자각증상	스코어
피부건조, 살갗 틈	14	어지러움	8
눈피로	12	집중력 저하	6
안색 불량	10	불면, 수면 장애	6
장딴지 경련	10	지각 저하	6
두발이 빠진다	8	복직근 긴장	6
손톱 이상(얇아 진다)	8	과소 월경, 월경 불순	6

스코어 합계가 30점 이상이면 혈허로 진단한다.
자각 증상 정도가 가벼우면 1/2로 채점

혈허라면 사물탕

5. 임사기의 한약

중환자로 집중치료실에서 인공호흡기를 연결하고 치료를 받는 환자가 치료한 보람이 없이 전신 상태가 악화되어, 죽음을 맞이하기 직전 가족과 친척을 만날 시간이 주어집니다. 이 시기를 동양의학에서는 궐음병厥陰病이라고 합니다. 손발이 차가워지고, 맥이 가라앉지만 약하지는 않은 상태, 동맥 라인조차 넣을 수도 없는 상태가 궐음병입니다.

가족이나 친척이 멀리 있는 경우, 이 분들이 내원할 때까지 카테콜아민으로 어떻게든 전신상태를 유지해보려 하지만, 한약에도 카테콜아민 같은 작용을 하는 것이 있습니다. 한방 카테콜아민이 복령사역탕이라는 방제입니다. 복령사역탕이 엑스제는 없지만, 인삼탕과 진무탕을 혼합해서 복령사역탕을 대신해서 사용합니다. 더욱 위험해진 시기에 위관삽입으로 투여하면, 친한 사람들과 이별할 시간을 충분히 가지고 떠나실 수 있습니다.

원래 복령사역탕은 인플루엔자 등의 열성 질환에 땀을 흘려 해열을 도모하는 마황탕 등의 방제를 투여한 후, 땀을 너무 빼서 쇼크에 빠진 환자를 회복하는 처방으로 개발되었습니다. 따라서 죽음을 눈앞에 둔 때가 아니더라도, NSAIDs로 땀을 너무 빼서 쇼크에 빠진 환자에게도 복령사역탕을 적용할 수 있습니다.

말기에는 복령사역탕(한방 카테콜아민)

작용	온리溫裏				보기補氣	지리止痢		복통
생약 / 방제	인삼	부자	건강	생강	감초	복령	출	작약
복령사역탕	●	●	●		●	●		
인삼탕	●		●		●		●	
진무탕		●		●		●	●	●

복령사역탕 = 인삼탕 + 진무탕으로 대용
적응증: 암말기(내복 가능한 기간에 지속), 패혈증,
NSAIDs 과량 투여로 인한 대량 발한·저체온·쇼크

마치면서

이전부터 한방강연회를 다니는 가운데, 책을 써보지 않겠느냐는 이야기를 들었지만 실현하지 못했습니다.

2015년 7월 25일 그랜드 프런트 오사카에서 개최한 일본통증클리닉학회에서 교육강연을 맡았는데, 좌장을 맡으신 쇼와대학 요코하마시 호쿠부병원 세라다 가즈유키 병원장님, 취재를 하신 (주) 메디카출판 편집부 노사카 나오코씨가 말을 걸어 왔습니다. 두 분으로부터 강연 내용이 매우 재미있으니 반드시 책을 내라고 권유받았고, 이번에 처녀작 데뷔라는 결실을 맺을 수 있었습니다.

앞으로 한방을 배운다는 분에게 이 책이 무언가 도움이 될 수 있다면 다행입니다.

쉬는 날에도 자기 방에 들어가서 작업을 하는 나를 내버려둔 가족을 비롯해서, 집필과 출판에 협력해주신 분들께 감사드립니다.

2016년 7월 7일

다케다 다카오

reference

참고문헌(추천 도서)

寺澤捷年 데라사와 가쓰토시

絵でみる和漢診療学
그림으로 보는 화한진료학

東京, 医学書院, 1997, 198페이지

ISBN978-4-260-36919-0

高山宏世 다카야마 코세이

腹證図解漢方常用処方解説
복증도해 한방상용처방해설

東京, 日本漢方振興会, 2016 (第58版), 312페이지

ISBN978-4-9905752-0-5

浅岡俊之 아사오카 도시유키

Dr.浅岡の本当にわかる漢方薬
닥터 아사오카의 제대로 이해하는 한약

東京, 羊土社, 2013, 197페이지

ISBN978-4-7581-1732-6

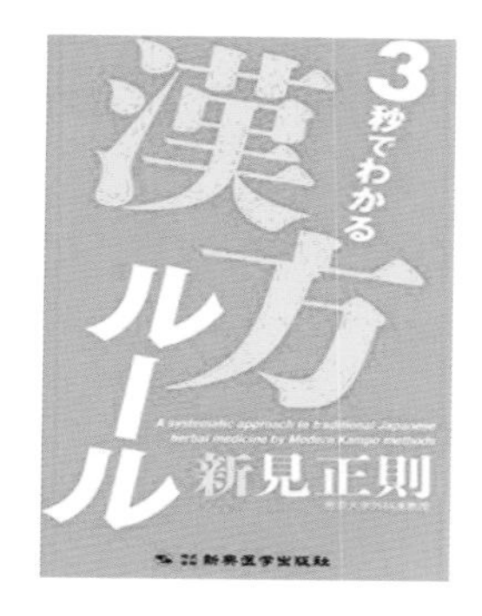

新見正則 니미 마사노리

３秒でわかる漢方ルール
3초 만에 이해하는 한방 규칙

東京, 新興医学出版社, 2014, 168페이지

ISBN978-4-88002-183-6

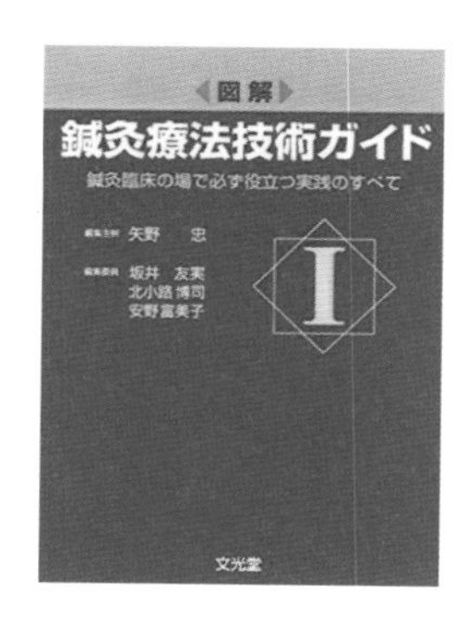

矢野忠 야노 다다시

鍼灸療法技術ガイド I
침구요법기술 가이드 I

東京, 文光堂, 2012, 932페이지

ISBN978-4-8306-4388-0

矢野忠 야노 다다시

鍼灸療法技術ガイド II
침구요법기술 가이드 II

東京, 文光堂, 2012, 1042페이지

ISBN978-4-8306-4389-7

생약·의료용 엑스제제 색인

생약·엑스제 명칭 옆의
■는 따뜻하게 하는 방제·생약
■는 차갑게 하는 방제·생약
■는 따뜻하게도 차갑게도 하지 않는 방제·생약을 나타냅니다.

가

다

마

바

사

아

자

차

타

파

하

종합 색인

가

다

라

마

바

사

아

자

차

카

타

파

하

【부록1】 이 책에 나오는 한약처방의 국내유통 현황

○ 건강보험 적용 한약
● 쯔무라 수입 한약
☆ 크라시에 수입 한약

가				
가미귀비탕	加味歸脾湯			☆
가미소요산	加味逍遙散	○		☆
갈근탕	葛根湯	○	●	☆
계비탕	啓脾湯			
계지가작약탕	桂枝加芍藥湯			☆
계지가출부탕	桂枝加朮附湯		●	
계지복령환	桂枝茯笭丸		●	☆
계지탕	桂枝湯			
다				
대건중탕	大建中湯			
대방풍탕	大防風湯			
대시호탕	大柴胡湯	○		
대황목단피탕	大黃牧丹皮湯	○		
도핵승기탕	桃核承氣湯	○		☆
마				
마황부자세신탕	麻黃附子細辛湯			
마황탕	麻黃湯			☆
맥문동탕	麥門冬湯		●	

목방기탕	木防己湯			
바				
반하백출천마탕	半夏白朮天麻湯	○	●	
반하사심탕	半夏瀉心湯	○	●	
반하후박탕	半夏厚朴湯	○		
방기황기탕	防己黃芪湯		●	
백호가인삼탕	白虎加人蔘湯			
보중익기탕	補中益氣湯	○	●	☆
복령사역탕	茯苓四逆湯			
복령음	茯苓飮			
사				
사군자탕	四君子湯			
사물탕	四物湯			
사역산	四逆散			
소건중탕	少建中湯			
소경활혈탕	疎經活血湯			
소반하가복령탕	小半夏加茯苓湯			
소시호탕	小柴胡湯	○		☆
소청룡탕	小青龍湯	○	●	☆
시령탕	柴苓湯			
시호가용골모려탕	柴胡加龍骨牡蠣湯		●	☆
시호계지건강탕	柴胡桂枝乾薑湯			
시호계지탕	柴胡桂枝湯	○		☆

십전대보탕	十全大補湯			
아				
억간산	抑肝散			
영감강미신하인탕	苓甘薑味辛夏仁湯			
영강출감탕	苓薑朮甘湯			
영계출감탕	苓桂朮甘湯			
오령산	五苓散		●	☆
오림산	五淋散	○		
오수유탕	吳茱萸湯			
용담사간탕	龍膽瀉肝湯			
우차신기환	牛車腎氣丸		●	
월비가출탕	越婢加朮湯			
육군자탕	六君子湯			☆
육미환	六味丸			☆
의이인탕	薏苡仁湯			
인삼양영탕	人蔘養榮湯			
인삼탕	人蔘湯	○		
자				
자음강화탕	滋陰降火湯	○		
작약감초탕	芍藥甘草湯	○	●	☆
저령탕	豬苓湯			
조등산	釣藤散		●	
진무탕	眞武湯			

차				
청서익기탕	清暑益氣湯	○		
청심연자음	清心蓮子飮			
치타박일방	治打撲一方			
타				
통도산	通道散			
파				
팔미지황환	八味地黃丸			☆

【부록2】 이 책에 나오는 양약처방명의 한-영-일 대조표

다		
단젠	Danzen	ダーゼン
데파스	Depas	デパス
디클로페낙	Diclofenac	じジクロフェナク
라		
라식스	Lasix	ラシックス
레바미피드	Rebamipide	レバミピド
록소닌	Loxonin	ロキソニン
록소프로펜	Loxoprofen	ロキソプロフェン
마		
메디콘	Medicon	メジコン
무코스타	Mucosta	ムコスタ
미오날	Myonal	ミオナール
바		
볼타렌	Voltaren	ボルタレン
부스코판	Buscopan	ブスコパン
사		
세노사이드	Sennoside	センノシド
세라티오펩티다제	Serratiopeptidase	セラペプターゼ
세레네이스	Serenace	セレネース

소세곤	Sosegon	ソセゴン
아		
아세트아미노펜	Acetaminophen	アセトアミノフェン
알닥톤	Aldactone	アルダクトン
알파롤	Alfarol	アルファロール
알파칼시돌	Alfacalcidol	アルファカシドール
염산 이리노테칸	Irinotecan HCL	塩酸イリノテカン
오피오이드	Opioid	オピオイド
카		
카다린	Catalin	カタリン
카테콜아민	Catecholamine	カテコラミン
타		
탐스로신	Tamsulosin	タマムスロシン
파		
파클리탁셀	Paclitaxel	パクリタキセル
프레가발린	Pregabalin	プレガバリン
피레녹신	Pirenoxin	ピレノキシン
하		
하루날	Harnal	ハルナール
할로페리돌	Haloperidol	ハルファロール

지은이

다케다 다카오 竹田貴雄

1968년 야마구치현 시모노세키에서 태어났다. 1994년 산교의과대학産業醫科大學 의학부를 졸업하였다. 2000년 신닛테쓰히로하타병원新日鉄広畑病院(현:세이테쓰키넨히로하타병원製鉄記念広畑病院) 통증클리닉 외래 진료를 하면서 한약과 침치료를 접한다.

2015년 4월부터 기타큐슈 종합병원 마취과부장이다. 마취과 상근 의사 3명의 평균 연령이 49세로 고령화가 진행 중이라, 병원장으로부터 응급실과 암 진료를 병행하라는 무리한 요청을 받은데다, 수술실 마취에 쫓기면서도 의사 증원이 실현되는 날 한방 외래를 개설하는 구상을 하고 있다.

옮긴이

조명래는 침구의학과 전문의, 한의학(경희대) 및 법학박사(성균관대)로 현재 동신대학교에서 학생들을 지도하고 있다. 대한침구의학회장과 동신목동한방병원장을 역임하였다.

김용세는 한의학박사(동신대)로 강남과 일산자생한방병원에서 근무하였고, 현재 부전한의원에서 진료중이다.

두 사람은 대전대학교 선후배로 만나 사제의 인연을 이어가고 있고, 『여경산의 임상대혈론』(주민출판사, 2006)과 『건강한 골프 안전한 골프』(신흥메드싸이언스, 2011)를 함께 번역하였다.